120 RECETTES GOURMANDES
POUR LUTTER
CONTRE LE CHOLESTÉROL

ISBN : 2-7339-0989-4
ISBN 13 : 978-2-7339-0989-8
ISSN : 1952-0611

© Éditions Grancher, 2007
98, rue de Vaugirard – 75006 Paris
Tél. : 01 42 22 64 80 / Fax : 01 45 48 25 03
www.grancher.com
m.grancher@worldonline.fr

Sylvie Girard-Lagorce

120 RECETTES GOURMANDES POUR LUTTER CONTRE LE CHOLESTÉROL

Éditeur : Michel Grancher

GRANCHER

INTRODUCTION

Un constat très simple

Une enquête menée en 2006 sur près de 1 600 patients dans une dizaine de pays, dont la France, a dégagé des conclusions qui posent les véritables questions sur un danger baptisé excès de cholestérol. Primo : les patients sont trop peu informés de leur taux de cholestérol. Secundo : ceux qui ont connaissance de leur taux élevé n'ont pas forcément conscience des risques sanitaires qu'ils encourent. La moitié des patients sont en effet persuadés que le cancer est de loin la maladie la plus meurtrière et le redoutent beaucoup plus qu'une crise cardiaque ou une attaque cérébrale. C'est là où ils se trompent. Car les statistiques sont imparables : les maladies cardio-vasculaires, directement liées à l'excès de cholestérol, sont celles qui tuent le plus dans le monde.

Qu'est-ce que le cholestérol ?

Avoir du cholestérol, dans le langage courant (et en particulier lorsque l'on reçoit le résultat d'une analyse sanguine), c'est avoir un taux de cholestérol excessif ou trop élevé dans le sang. Les médecins, eux, parlent d'hypercholestérolémie. Cet excès de cholestérol est d'autant plus insidieux qu'il est indolore et n'entraîne aucun symptôme particulier, jusqu'au jour où des plaques de graisse finissent par réduire, voire boucher, le calibre des artères qui véhiculent le sang. Cet encrassement des artères, favorisé par ailleurs par l'excès de poids, le tabagisme ou l'hypertension, un jour ou l'autre se traduit par une thrombose, un infarctus, une artérite ou un accident vasculaire cérébral.

Mais attention : le cholestérol est indispensable à l'organisme ! C'est l'un des constituants essentiels des membranes de nos cellules. C'est à partir de lui que l'organisme peut synthétiser différentes hormones ; c'est aussi grâce à lui que la peau peut synthétiser la vitamine D sous l'effet des rayons solaires. Il participe par ailleurs à la fabrication des acides biliaires, transportés dans l'intestin où ils permettent l'absorption des graisses. Enfin, c'est l'un des constituants qui gainent les nerfs.

Le cholestérol est apporté à l'organisme par l'alimentation, mais c'est essentiellement le foie qui en assure la production. Il y a problème lorsque l'organisme, produisant trop de cholestérol, lequel s'ajoute à celui qui provient des aliments, s'encrasse au niveau des artères, qui finissent par se boucher.

Le bon et le mauvais cholestérol

Le cholestérol est véhiculé dans l'organisme par différentes sortes de protéines : les lipoprotéines de basse densité (LDL) et les lipoprotéines de haute densité (HDL). Sans entrer dans le détail complexe de la distribution des lipides et du cholestérol dans le sang et donc dans l'organisme, sachez d'ores et déjà que le LDL représente le mauvais cholestérol, tandis que le HDL représente le bon. Car il existe effectivement un bon et un mauvais cholestérol : le mauvais se dépose dans les artères et les encrasse ; le bon possède en revanche le pouvoir de désencrasser les artères, de les débarrasser de l'excès de cholestérol.

Le taux de cholestérol

L'hypercholestérolémie, c'est-à-dire l'excès de cholestérol dans le sang, se mesure par une simple prise de sang qui révèle plusieurs chiffres : le bilan lipidique. On y voit apparaître le cholestérol total, somme du bon et du mauvais, qui doit être inférieur à 2 g par litre de sang ; il est limite entre 2 et 2,5 et franchement élevé s'il dépasse 3 g.

Le taux de LDL doit se situer dans l'idéal en dessous de 1,3 g/l. Le taux de HDL, en revanche, ne doit pas être trop bas : pour jouer efficacement son rôle protecteur, il doit être supérieur à 0,60 g/l.

Ces chiffres doivent également tenir compte d'autres facteurs de risque, comme le manque d'exercice physique, le tabagisme, certains facteurs génétiques (familles à risque), l'âge et le sexe (les hommes sont plus exposés que les femmes), le diabète, l'hypertension artérielle, l'obésité, le stress.

Les atouts d'une bonne alimentation

Nombre d'études menées dans le monde sur des groupes de population très différents les uns des autres ont mis en lumière le rôle évident de l'alimentation sur la santé des individus et de leurs artères. C'est le cas par exemple des Esquimaux qui consomment surtout des poissons gras des mers froides et peu de viande ; or, ils sont naturellement protégés des maladies cardio-vasculaires. C'est le cas, par ailleurs, des habitants de l'île de Crète (d'où l'origine et le succès du fameux régime crétois), dont l'alimentation ancestrale repose sur l'huile d'olive, les légumes, les fruits, les pois chiches et les poissons.

Ce sont par conséquent les mesures diététiques qui conditionnent d'une manière fondamentale le contrôle du cholestérol, et en particulier du mauvais, puisque c'est celui-ci essentiellement qu'il faut combattre. C'est dans l'assiette que la santé se joue. Voici les quatre grands principes d'une alimentation saine pour contrôler son cholestérol.

1. La proportion des lipides dans l'alimentation ne doit pas dépasser 30 à 35 % de la ration calorique totale. Que sont les lipides ? Tout simplement les graisses : huile, beurre, margarine, fromages, charcuteries, viandes, mais aussi fruits oléagineux et poissons. Mais un choix s'impose parmi ces lipides.

2. Réduire considérablement les apports en cholestérol d'origine animale : le beurre, les œufs (le jaune essentiellement), le saindoux et les abats.

3. Réduire les produits d'origine animale riches en acides gras saturés : viandes rouges grasses, fromages riches en matière grasse, saucisson, pâtés et terrines, œufs de poisson (y compris le caviar !).

4. Privilégier les produits riches en acides gras mono-insaturés et polyinsaturés : poissons, huile d'olive, fruits

oléagineux, ainsi que les aliments riches en fibres (fruits, légumes et céréales complètes).

Le bon et le très bon, le mauvais et le très mauvais

À partir du moment où l'excès de cholestérol constitue un véritable problème de santé, il devient indispensable de rayer de sa mémoire alimentaire un certain nombre de produits. En premier lieu, les mauvaises graisses et ce que l'on appelle les graisses saturées : adieu les rillettes, les charcuteries très grasses, les produits laitiers entiers, mais aussi la viennoiserie, les pâtisseries au beurre et à la crème, les biscuits industriels et les crèmes glacées. Bonjour les bonnes graisses : huiles d'olive, de colza ou de tournesol, avocats, olives et noix, fromages de chèvre et de brebis, fruits et légumes en général.

Quelques règles de bon sens

Le Programme National Nutrition et Santé, mis en place en 2001, recommande de manger cinq fruits et légumes par jour, en consommant des légumes à chaque repas ; du poisson deux fois par semaine (en choisissant de préférence des poissons gras comme le saumon, le thon ou les maquereaux) ; des produits laitiers écrémés ; des huiles végétales variées, sans oublier ail et oignon, fruits rouges et légumes à feuilles vertes.

Faites une place de choix aux féculents, riches en énergie, pauvres en graisse : riz, pâtes et pommes de terre (sans beurre, ni fromage râpé).

Abandonnez la cuisine au beurre pour la cuisine à l'huile. Ne tombez pas d'un excès dans l'autre : certains aliments riches en cholestérol sont en effet recommandables sur le plan diététique. C'est le cas des œufs, dont le jaune est particulièrement chargé en cholestérol, mais aussi des crevettes : ne les excluez pas totalement, mais modérez leur consommation (un à deux œufs par semaine ou un plat de crevettes par semaine). Autre exemple : la viande de canard, riche en bons acides gras mono-insaturés, mais aussi en cholestérol, à réserver pour une fête ou un repas d'exception (de même que le foie gras et le caviar ; ce dernier est sans doute le plus riche en cholestérol, mais vous ne risquez pas d'en faire des excès !).

S'il y a une chose sur laquelle l'individu, homme ou femme, possède un pouvoir quelconque, c'est bien sûr ce qu'il choisit de mettre dans son assiette. Faire une croix sur les abats et la charcuterie, prendre l'habitude de cuisiner à l'huile, limiter les fromages gras, les viandes grasses et le lait entier : est-ce là un sacrifice hors de portée ? En revanche, quel plaisir de varier les cuissons légères, les papillotes et la vapeur, d'associer légumes et fines herbes, aromates et épices, d'inventorier les produits de saison, fruits et poissons, sans oublier les pâtes et les précieux légumes secs. Pour bien vivre avec le cholestérol, découvrez les recettes gourmandes qui vous donnent le droit d'être gourmets sans mettre en péril votre santé ni celle de votre entourage.

SOUPES
ET POTAGES

Soupe de petits pois à l'estragon

POUR 4 PERSONNES
PRÉPARATION : 35 MINUTES
CUISSON : 30 MINUTES

* 1 kg de petits pois frais
* 2 pommes de terre à chair farineuse
* 1 branche de céleri bien tendre
* 1 petit bouquet d'estragon frais
* 1 gros oignon jaune
* 4 cuillerées à soupe de crème fleurette allégée
* sel et poivre

Écossez les petits pois au moment où vous allez préparer la soupe (ne les écossez pas à l'avance, sinon ils risquent de fermenter et de perdre toute leur saveur). Pelez les pommes de terre, lavez-les et coupez-les en dés. Effilez le céleri et coupez-le en tronçons. Pelez l'oignon et émincez-le très finement.

Réunissez tous ces ingrédients dans une grande casserole, couvrez d'eau et portez à ébullition. Salez et faites cuire à petite ébullition pendant une demi-heure.

Prélevez une bonne louche de petits pois cuits, rafraîchissez-les sous le robinet d'eau froide dans une passoire et réservez-les. Passez tout le reste de la casserole au mixer plongeant en conservant le liquide.

Incorporez l'estragon lavé, épongé et finement ciselé, puis les petits pois frais entiers. Mélangez en ajoutant la crème fleurette.

Faites chauffer sans laisser bouillir. Goûtez et rectifiez l'assaisonnement. Servez chaud.

Vous pouvez remplacer les petits pois par des pois gourmands : dans ce cas, ne passez pas la soupe au mixer.

Velouté froid de concombre à l'aneth

POUR 4 PERSONNES
PRÉPARATION : 25 MINUTES
REPOS : 1 HEURE AU MOINS
CUISSON : 10 MINUTES

* ❉ 2 concombres bien fermes à peau lisse
* ❉ 60 cl de yaourt lisse type bulgare
* ❉ 1/2 citron non traité
* ❉ 2 cubes de bouillon de volaille
* ❉ 2 gousses d'ail
* ❉ 1 bouquet de ciboulette
* ❉ 1 bouquet d'aneth frais
* ❉ sel et poivre

Pelez les concombres et coupez-les en deux dans la longueur, puis retirez les graines en les grattant délicatement avec une petite cuiller, sans retirer de pulpe. Taillez la chair en petits dés réguliers et mettez-les dans une casserole.

Délayez par ailleurs les cubes de bouillon avec 60 cl d'eau chaude en fouettant bien, versez le tout dans la casserole, salez modérément et poivrez. Faites cuire tranquillement pendant 8 minutes environ sur feu doux sans laisser bouillir. Retirez la casserole du feu et laissez refroidir complètement.

Pelez les gousses d'ail et écrasez-les avec le plat d'une lame de couteau. Râpez le zeste du demi-citron et pressez son jus.

Réunissez dans un petit saladier le yaourt, l'ail, le zeste et le jus de citron, poivrez et mélangez. Versez ce mélange dans la casserole où le bouillon a refroidi, mélangez intimement et ajoutez 15 cl d'eau glacée. Versez le potage dans un grand saladier et placez-le au réfrigérateur pendant au moins une heure jusqu'au moment de servir.

☙Lavez et épongez la ciboulette et l'aneth, puis ciselez très finement les feuilles en réservant quelques belles pluches d'aneth.

☙Au moment de servir, incorporez la ciboulette et l'aneth ciselés, puis mélangez. Garnissez ensuite avec les pluches d'aneth bien fraîches.

Potage aux cuisses de grenouilles

POUR 4 PERSONNES

PRÉPARATION : 30 MINUTES

CUISSON : 40 MINUTES ENVIRON

* *12 paires de cuisses de grenouilles*
* *1 yaourt nature*
* *1 gros oignon*
* *2 échalotes*
* *20 cl de vin blanc sec*
* *2 cubes de bouillon de volaille*
* *15 cl de lait écrémé*
* *150 g de cresson frais*
* *1 petit bouquet de persil plat*
* *1 cuillerée à soupe d'huile de colza*
* *1 cuillerée à café de Maïzena*
* *noix de muscade*
* *sel et poivre*

Pelez et émincez très finement l'oignon et les échalotes. Faites chauffer l'huile dans une grande casserole sur feu doux, ajoutez l'oignon et l'échalote et faites-les revenir en remuant pendant 8 à 10 minutes. Quand ils sont devenus translucides, ajoutez les cuisses de grenouilles (rincées et épongées), puis faites-les revenir doucement en les retournant plusieurs fois.

Versez le vin blanc, salez, poivrez et muscadez, puis ajoutez le bouillon de volaille confectionné avec les cubes délayés dans de l'eau chaude. Laissez cuire à couvert sur feu modéré pendant 15 à 18 minutes.

Égouttez les cuisses de grenouilles dans une passoire et mettez-les dans un plat creux.

16

☙ Délayez la Maïzena dans un verre avec le lait froid, puis versez dans la casserole petit à petit en mélangeant sur feu doux ; laissez mijoter pendant encore 10 à 12 minutes en remuant de temps en temps.

☙ Lavez le cresson et retirez les feuilles épaisses, épongez-le et hachez-le grossièrement.

☙ Désossez soigneusement les cuisses de grenouilles et récupérez toute la chair, remettez-la dans la casserole avec le yaourt, mélangez, puis incorporez le cresson. Faites chauffer en remuant pendant 5 à 7 minutes, puis goûtez et rectifiez l'assaisonnement.

☙ Versez le tout dans une soupière chaude, parsemez de pluches de cerfeuil et servez aussitôt.

Soupe de poulet à l'indienne

POUR 4 PERSONNES

PRÉPARATION : 30 MINUTES

CUISSON : 1 HEURE 20 ENVIRON

* ❋ *1 poulet de 1,5 kg prêt à cuire*
* ❋ *80 g de riz basmati ou à grains longs*
* ❋ *4 pots de yaourt nature brassé*
* ❋ *1 citron*
* ❋ *3 oignons blancs*
* ❋ *2 gousses d'ail*
* ❋ *1 cube de bouillon de légumes aux herbes*
* ❋ *1 cube de bouillon de volaille*
* ❋ *1 cuillerée à soupe d'huile de colza*
* ❋ *1 cuillerée à soupe rase de poudre de curry doux*
* ❋ *1 petit bouquet de coriandre fraîche*
* ❋ *4 clous de girofle*
* ❋ *sel et poivre*

☙ Découpez le poulet en morceaux (six ou huit ; vous pouvez aussi prendre des cuisses de poulet ou des hauts de cuisses et de pilons au lieu d'un poulet entier). Salez-les et poivrez-les.

☙ Pelez et hachez finement les oignons et l'ail. Faites chauffer l'huile dans une cocotte, ajoutez les oignons et l'ail ; faites-les fondre en remuant sur feu doux jusqu'à ce qu'ils soient translucides. Quand ils commencent à blondir, ajoutez les morceaux de poulet un par un en les retournant sur toutes les faces pour les faire juste dorer sur feu modéré.

☙ Versez 1,5 litre d'eau et portez lentement à ébullition, ajoutez également les cubes de bouillon émiettés et mélangez pour les faire dissoudre correctement.

ॐ À part, faites cuire le riz.

ॐ Égouttez les morceaux de poulet ; filtrez le bouillon et réservez séparément le hachis d'oignon et d'ail cuit et le bouillon.

ॐ Désossez entièrement les morceaux de poulet et récupérez toute la chair.

ॐ Nettoyez la cocotte et mettez dedans la chair de poulet taillée en petits dés réguliers, le hachis d'oignon et d'ail cuit, les clous de girofle finement pilés et les yaourts ; mélangez intimement, saupoudrez de curry et versez le bouillon en fouettant régulièrement. Portez doucement à ébullition et ajoutez la coriandre finement ciselée, puis le riz cuit. Mélangez sur feu doux pendant 8 à 10 minutes.

ॐ Râpez finement le zeste de citron et ajoutez-le dans le potage, ainsi que son jus pressé.

ॐ Servez dans une soupière chaude ou des petites soupières individuelles en répartissant bien la chair de poulet.

Consommé baltique

POUR 4 PERSONNES

PRÉPARATION : 20 MINUTES

REPOS : 1 HEURE

* *100 g d'œufs de saumon*
* *150 g de saumon fumé*
* *5 yaourts liquides*
* *1 petit bulbe de fenouil*
* *1 bouquet de cerfeuil frais*
* *2 citrons*
* *2 cubes de bouillon de volaille*
* *sel et poivre*

☺ Versez les yaourts dans un saladier ; ajoutez le jus des deux citrons en éliminant les pépins, salez et poivrez, fouettez vivement.

☺ Délayez les cubes de bouillon dans de l'eau tiède en fouettant puis faites-la refroidir et ajoutez-la dans le saladier. Réservez le tout au réfrigérateur.

☺ Détaillez le saumon fumé en fines languettes.

☺ Parez le fenouil et émincez-le le plus finement possible, mettez ces lamelles dans de l'eau glacée et réservez.

☺ Sortez le saladier du réfrigérateur et incorporez les œufs de saumon. Mélangez délicatement et répartissez dans des coupes de service ou des tasses, ajoutez les languettes de saumon, les lamelles de fenouil et les pluches de cerfeuil. Servez très frais.

Soupe de moules à l'écossaise

POUR 4 PERSONNES

PRÉPARATION : 30 MINUTES

CUISSON : 15 MINUTES ENVIRON

* ❋ *4 douzaines de moules de bouchot assez grosses*
* ❋ *1 litre de lait écrémé*
* ❋ *1 bouquet de persil plat*
* ❋ *4 cuillerées à soupe de farine d'avoine*
* ❋ *sel et poivre noir*

☙ Lavez et grattez les moules en jetant au fur et à mesure celles qui restent ouvertes. Mettez les moules saines bien lavées dans une grande marmite sur feu vif, ajoutez une tasse d'eau, couvrez et faites chauffer jusqu'à ce que toutes les moules soient ouvertes. Filtrez soigneusement le jus de cuisson des moules dans une passoire tapissée d'une mousseline et réservez-le. Décoquillez les moules et mettez-les de côté dans un saladier, ajoutez le persil lavé, essoré et finement ciselé, mélangez et réservez.

☙ Par ailleurs, versez la farine d'avoine dans une grande poêle et faites-la chauffer à sec en l'agitant légèrement pour la faire griller. Mettez-la également de côté.

☙ Versez le lait dans une casserole, ajoutez le jus de cuisson des moules et faites chauffer sur feu doux, salez et poivrez. Portez à la limite de l'ébullition. Ajoutez les moules au persil.

☙ Versez la farine d'avoine grillée dans un bol ; prélevez une tasse du bouillon et versez-le d'un coup sur la farine pour former des petites boulettes qui vont s'agglomérer instantanément.

☙ Ajoutez celles-ci dans la soupe, mélangez délicatement et servez sans attendre dans des assiettes bien creuses en répartissant équitablement les moules et les boulettes de farine puis en donnant un tour de moulin à poivre.

Soupe de carottes aux courgettes et éclats d'olives

Pour 4 personnes

Préparation : 30 minutes

Cuisson : 25 minutes

* ❉ 5 belles carottes longues
* ❉ 4 courgettes à peau lisse et fine
* ❉ 12 grosses olives noires
* ❉ 1 petit quartier de potiron
* ❉ 1,5 litre de lait écrémé
* ❉ 2 cuillerées à soupe d'huile d'olive
* ❉ quelques brins de ciboulette
* ❉ sel et poivre

☙ Pelez les carottes et détaillez-les en longues languettes fines avec un couteau économe ; faites-les cuire à la vapeur pendant environ 8 minutes.

☙ Pelez le quartier de potiron et coupez-le en dés ; mettez-les dans une grande casserole, versez le lait, salez et poivrez. Faites chauffer jusqu'à ce que le liquide se mette à frémir, puis baissez le feu et laissez mijoter pendant une vingtaine de minutes.

☙ Pendant ce temps, lavez les courgettes et essuyez-les (inutile de les peler si la peau est très fine) ; coupez-les en fines rondelles et rangez-les dans un plat allant dans le four. Arrosez-les d'huile et faites-les cuire dans le four préchauffé à 200 °C pendant une dizaine de minutes. Sortez le plat du four et laissez en attente.

☙ Dénoyautez les olives et coupez-les en éclats dans le sens de la longueur. Passez le potiron cuit au moulin à légumes en réservant le lait.

☙Mettez la purée de potiron dans une casserole, ajoutez le lait, les languettes de carotte, les rondelles de courgettes et les éclats d'olive. Mélangez délicatement et faites chauffer doucement pendant 2 à 3 minutes. Goûtez et rectifiez l'assaisonnement.

☙Versez dans une soupière ou des assiettes creuses, ajoutez la ciboulette ciselée et donnez un tour de moulin à poivre. Servez aussitôt.

Bouillon de volaille aux aromates

Pour 4 personnes
Préparation : 1 heure
Repos : 1 heure
Cuisson : 2 heures

* 1 kg d'ailerons de poulet
* 4 blancs de poulet sans la peau
* 1 bouquet garni riche en thym et en persil
* 2 tomates charnues
* 2 carottes
* 2 oignons
* 2 branches de céleri avec leurs feuilles
* 1 gros poireau
* 1 citron
* 2 clous de girofle
* sel et poivre

Mettez les ailerons de poulet dans une marmite, couvrez largement d'eau froide et portez à ébullition sur feu moyen.

Pendant ce temps, pelez les carottes et coupez-les en rondelles ; pelez les oignons, piquez-en un avec les clous de girofle et coupez le second en quartiers. Effilez le céleri et coupez-le en tronçons en gardant le vert ; parez le poireau en conservant le maximum de vert, lavez-le soigneusement et tronçonnez-le.

Lorsque l'eau commence à bouillir dans la marmite, écumez jusqu'à ce que le bouillon soit clair, puis ajoutez une tasse d'eau froide, les légumes et le bouquet garni. Salez et poivrez, portez de nouveau à ébullition, puis baissez le feu et laissez mijoter pendant 1 heure 30.

☾ Tapissez une grande passoire d'un torchon fin ou d'une double épaisseur de mousseline mouillée d'eau ; placez-la au-dessus d'une terrine et versez-y le contenu de la marmite. Jetez les abattis, les légumes et les aromates. Laissez refroidir le bouillon et mettez-le dans le réfrigérateur.

☾ Faites pocher les blancs de poulet à l'eau ou faites-les cuire à la vapeur jusqu'à ce qu'ils soient bien tendres (15 à 20 minutes) en leur ajoutant le jus de citron.

☾ Par ailleurs, ébouillantez les tomates, pelez-les et coupez-les en petits dés. Lorsque le bouillon est froid, retirez la graisse figée en surface et faites-le chauffer doucement dans une grande casserole.

☾ Répartissez dans les assiettes creuses les blancs de poulet égouttés et émincés, les dés de tomate et la ciboulette ciselée. Versez doucement le bouillon brûlant dessus et donnez un tour de moulin à poivre.

౿ ౿
౿

Consommé aux huîtres

POUR 4 PERSONNES

PRÉPARATION : 40 MINUTES

CUISSON : 10 MINUTES

* *2 douzaines de grosses huîtres creuses*
* *4 belles tomates charnues*
* *1,5 litre de fumet de poisson*
* *1 dose de safran en filaments*
* *1 cuillerée à soupe de vinaigre de xérès*
* *quelques feuilles de basilic*
* *sel et poivre*

Ouvrez les huîtres le plus délicatement possible pour éviter les brisures de coquilles (demandez éventuellement au poissonnier de les préparer ainsi pour vous). Extrayez les noix de chair et mettez-les dans une passoire placée sur une terrine. Récupérez leur eau et filtrez-la soigneusement en vous servant par exemple d'un grand filtre à café. Gardez les huîtres à couvert dans le réfrigérateur.

Ébouillantez les tomates, puis pelez-les et coupez-les en deux, retirez les graines et taillez la chair en petits dés.

Faites chauffer doucement le fumet de poisson dans une grande casserole (on le trouve sous forme de poudre en boîte : il suffit de suivre le mode d'emploi, à délayer dans de l'eau pour obtenir la quantité désirée).

Faites par ailleurs tremper le safran dans une tasse avec un peu d'eau tiède. Ajoutez-le dans le fumet, ainsi que le vinaigre de xérès. Goûtez et rectifiez l'assaisonnement.

Lavez et ciselez finement les feuilles de basilic.

Répartissez les huîtres dans des bols à consommé ou des assiettes creuses, ajoutez les dés de tomate, puis versez par-dessus le bouillon très chaud et ajoutez le basilic. Couvrez d'une feuille de papier aluminium et laissez infuser à couvert pendant quelques instants avant de déguster.

Vous pouvez remplacer les huîtres par des queues de grosses crevettes royales cuites et les tomates par des petites pointes d'asperges vertes.

Potage de tomates au basilic

POUR 4 PERSONNES
PRÉPARATION : 30 MINUTES
CUISSON : 35 MINUTES

* ❊ *1,5 kg de grosses tomates mûres*
* ❊ *1 grosse pomme de terre à chair farineuse*
* ❊ *1/2 concombre bien ferme*
* ❊ *1 bouquet de basilic*
* ❊ *1 oignon rouge*
* ❊ *2 branches de céleri*
* ❊ *2 cuillerées à soupe d'huile d'olive*
* ❊ *1 bouquet garni*
* ❊ *sel et poivre*

☾ Faites bouillir une grande casserole d'eau, plongez les tomates dedans et faites repartir l'ébullition, puis égouttez-les avec une écumoire et laissez-les tiédir ; pelez-les et coupez-les en quartiers.

☾ Pelez l'oignon et émincez-le très finement. Effilez les branches de céleri et coupez-les en petits dés. Pelez et lavez la pomme de terre, puis coupez-la également en petits dés.

☾ Faites chauffer l'huile dans une casserole, ajoutez l'oignon et faites-le revenir en remuant pendant 2 minutes. Ajoutez le céleri, la pomme de terre et le bouquet garni. Salez et poivrez, puis versez 50 cl d'eau, portez à ébullition. Baissez ensuite le feu et laissez mijoter pendant 15 minutes. Ajoutez les quartiers de tomates et mélangez, poursuivez la cuisson pendant encore 15 minutes.

☾ Pendant ce temps, pelez le concombre et taillez la chair en très petits dés. Lavez et ciselez finement les feuilles de basilic. Retirez le bouquet garni du potage et passez le contenu de la casserole au mixer plongeant. Goûtez et rectifiez l'assaisonnement, ajoutez les dés de concombre et faites chauffer doucement en remuant.

℧ Répartissez dans des bols ou des assiettes creuses et garnissez de basilic.

Velouté d'herbes au chèvre frais

POUR 4 PERSONNES
PRÉPARATION : 40 MINUTES
CUISSON : 35 MINUTES

* 150 g de chèvre frais
* 2 poireaux
* 50 cl de lait écrémé
* 25 cl de crème fleurette allégée
* 250 g de feuilles d'épinard
* 100 g de feuilles d'oseille
* 1 laitue
* 150 g de feuilles de pissenlit
* 1 bouquet de persil
* 1 bouquet de ciboulette
* 2 oignons
* 1 cuillerée à soupe d'huile de colza
* paprika doux
* sel et poivre noir

☙ Pelez et émincez finement les oignons. Parez les poireaux en conservant une bonne partie du vert, lavez-les et émincez-les. Équeutez les épinards et l'oseille, lavez les feuilles et ciselez-les grossièrement.

☙ Faites chauffer l'huile dans une grande casserole à fond épais. Ajoutez les oignons et faites-les fondre sans laisser colorer. Ajoutez les poireaux et continuez à faire cuire sur feu moyen pendant 5 minutes en remuant. Ajoutez les épinards et l'oseille ; mélangez jusqu'à ce qu'ils aient diminué de volume. Salez et poivrez. Retirez du feu.

☙ Épluchez, effeuillez, lavez et taillez la laitue en chiffonnade ; épluchez ct lavez les pissenlits ; lavez le persil et la ciboulette, puis ciselez ces deux herbes. Remettez la casserole sur le feu, ajoutez la laitue, les pissenlits, le persil et la ciboulette. Versez le lait et ajoutez deux verres d'eau, faites cuire sur feu moyen en remuant de temps en temps pendant une vingtaine de minutes.

☞ Pendant ce temps, façonnez le chèvre frais en petites boulettes et roulez-les dans du paprika ; gardez-les au réfrigérateur.

☞ Passez ensuite le contenu de la casserole au mixer et faites chauffer à nouveau sur feu doux en ajoutant la crème fleurette.

☞ Répartissez le velouté dans des assiettes creuses, garnissez de boulettes de chèvre et servez aussitôt.

Potage glacé de melon aux crevettes

POUR 4 PERSONNES
PRÉPARATION : 30 MINUTES
REPOS : 1 HEURE

* 2 melons mûrs de 1 kg chacun
* 24 queues de crevettes roses cuites décortiquées
* 1 orange à jus sans pépins
* 20 cl de yaourt liquide
* 1 bouquet de persil plat
* 1 citron
* sel et poivre

✆ Coupez les melons en deux et retirez les graines. Prélevez la chair d'un demi-melon en billes à l'aide d'une cuiller parisienne et réservez-les dans le réfrigérateur.

✆ Retirez l'écorce des quatre demi-melons (même celui dont vous avez prélevé les billes de chair) et récupérez soigneusement toute la pulpe restante ; réduisez-la en purée fine au mixer et versez ce potage dans un saladier, salez légèrement et poivrez.

✆ Pressez le jus de l'orange et prélevez un peu de son zeste, ajoutez-les au potage puis mettez-le au réfrigérateur.

✆ Lavez le persil et ciselez les feuilles. Mettez-les dans un grand bol, versez dessus 20 cl d'eau bouillante et ajoutez le jus de citron. Laissez infuser pendant 30 minutes, puis passez le tout au mixer et avant de l'incorporer, ainsi que le yaourt, au potage au melon.

✆ Mélangez intimement et laissez au réfrigérateur jusqu'au moment de servir. Répartissez dans les assiettes creuses les crevettes et les billes de melon, versez le potage dessus et servez aussitôt.

SALADES
ET ENTRÉES

Émincé de courgettes aux pommes

POUR 4 PERSONNES

PRÉPARATION : 20 MINUTES

❉ *3 petites courgettes bien fermes à peau fine*
❉ *2 pommes granny-smith*
❉ *2 cuillerées à soupe de persil ciselé*
❉ *2 cuillerées à soupe de cerfeuil ciselé*
❉ *1 citron*
❉ *1 cuillerée à café de moutarde forte*
❉ *2 cuillerées à soupe de vinaigre de cidre*
❉ *2 cuillerées à soupe d'huile de noix ou de noisettes*
❉ *1 cuillerée à soupe d'huile de colza*
❉ *2 cuillerées à soupe de pignons de pin*
❉ *sel et poivre*

☙Lavez et essuyez les courgettes, ne les pelez pas, coupez simplement le pédoncule. Détaillez-les en très fines rondelles et mélangez-les dans un saladier avec le persil et le cerfeuil ciselés, arrosez avec le jus d'un demi-citron et réservez.

☙Lavez les pommes, coupez-les en quartiers sans les peler, retirez le cœur et les pépins, puis détaillez les quartiers en fines lamelles, arrosez-les avec le reste du jus de citron.

☙Préparez l'assaisonnement en mélangeant dans un bol le vinaigre de cidre et les deux huiles, salez et poivrez, incorporez la moutarde et fouettez vivement.

☙Répartissez les courgettes en une couche régulière sur des assiettes de service ; disposez les lamelles de pommes dessus, arrosez de sauce et ajoutez les pignons de pin en garniture.

☙Servez aussitôt.

Tartare de poisson à la ciboulette

POUR 4 PERSONNES

PRÉPARATION : 30 MINUTES

REPOS : 2 HEURES

* *200 g de saumon frais sans peau ni arêtes*
* *150 g de filet de cabillaud sans peau ni arêtes*
* *100 g de carré demi-sel à 30 % de matière grasse*
* *100 g de roquette*
* *1 cuillerée à soupe de moutarde douce*
* *1 cuillerée à soupe de Worcestershire sauce*
* *4 cuillerées à soupe de ciboulette ciselée*
* *4 cuillerées à soupe d'aneth ciselé*
* *1 citron*
* *1 cuillerée à soupe d'huile d'olive*
* *sel et poivre*

Avec un couteau bien aiguisé, détaillez le saumon en très fines tranches transversales, puis recoupez celles-ci dans l'autre sens en très petits dés. Faites la même opération avec le cabillaud (vous pouvez également utiliser uniquement du saumon frais). Mélangez les deux préparations dans un saladier, couvrez d'un film étirable et mettez dans le réfrigérateur. (Ne soyez pas tenté, pour aller plus vite, de hacher le poisson dans un appareil électrique, car vous n'obtiendrez que de la purée).

Mélangez par ailleurs dans un bol le fromage demi-sel, la moutarde et la Worcestershire sauce, salez et poivrez modérément. Ajoutez ce mélange au poisson et mélangez intimement jusqu'à l'obtention d'une consistance homogène ; puis incorporez la ciboulette et l'aneth. Réservez cette préparation dans le réfrigérateur pendant 2 heures.

❧Préparez une petite sauce avec le jus du citron, l'huile d'olive, le sel et le poivre. Assaisonnez-en la roquette lavée et bien essorée. Façonnez les tartares en monticules réguliers à l'aide d'une tasse ou d'un grand ramequin trempé dans de l'eau froide, dans lequel vous tassez le quart de la préparation.

❧Disposez les tartares sur des assiettes froides, garnissez de roquette assaisonnée et servez frais.

Asperges tièdes sauce aux fines herbes

POUR 4 PERSONNES

PRÉPARATION : 30 MINUTES

CUISSON : 15 MINUTES ENVIRON

* *2 kg d'asperges vertes pas trop fines*
* *250 g de fromage blanc lisse à 0 % de matière grasse*
* *1 orange à peau fine non traitée*
* *1 cuillerée à soupe d'amandes effilées*
* *2 cuillerées à soupe de ciboulette ciselée*
* *1 cuillerée à soupe de menthe ciselée*
* *1 cuillerée à soupe d'estragon ciselé*
* *1 cuillerée à café de moutarde douce*
* *sel et poivre*

☙Coupez la base de la tige des asperges ; faites en sorte que toutes les asperges soient à peu près de la même longueur. Pelez-les délicatement du haut vers le bas sans abîmer la pointe. Lavez-les éventuellement rapidement sous le robinet d'eau froide si vous craignez qu'elles gardent un peu de sable. Séparez-les en deux ou trois bottillons et ficelez-les sans trop serrer avec du fil de cuisine. Faites-les cuire à l'eau bouillante salée jusqu'à ce qu'elles soient juste tendres ; veillez à ce que les pointes ne se défassent pas à la cuisson. Vous pouvez aussi les faire cuire à la vapeur. Égouttez-les et épongez-les en les couchant sur un plat tapissé d'un torchon placé en biais pour que l'eau s'écoule facilement. Retirez le fil de cuisine. Laissez-les tiédir.

☙Pendant ce temps, versez le fromage blanc dans un petit saladier, ajoutez les amandes effilées grossièrement concassées, le zeste de l'orange finement râpé et la moutarde. Fouettez vivement en incorporant le jus de l'orange pressée (sans les pépins), ainsi que les fines herbes.

❧Lorsque la sauce est bien homogène, versez-la dans des ramequins individuels. Répartissez les asperges sur des assiettes de service et proposez la sauce à part.

❧❧
❧

Concassée de tomates au poivron et aux olives

POUR 4 PERSONNES

PRÉPARATION : 30 MINUTES

REPOS : 1 HEURE

CUISSON : 15 MINUTES

* 1,5 kg de tomates charnues
* 2 poivrons jaunes
* 2 douzaines d'olives noires à la grecque
* 1 oignon rouge
* 1 échalote
* 2 gousses d'ail
* 2 cuillerées à soupe d'huile d'olive
* 4 cuillerées à soupe de menthe ciselée
* 1 cuillerée à café de sucre en poudre
* 1 cuillerée à soupe de câpres
* sel et poivre

Faites griller les poivrons entiers dans le four, sous le gril, en les plaçant sur la lèchefrite et en les retournant de temps en temps jusqu'à ce que la peau se boursoufle et commence à noircir par endroits. Sortez-les et couvrez-les de papier aluminium ; laissez-les refroidir. Ensuite, pelez-les, coupez-les en deux, retirez les graines et taillez-les en fines lamelles dans une passoire, laissez-les reposer pendant une heure.

Pendant ce temps, ébouillantez les tomates et pelez-les, coupez-les en petits dés après avoir retiré les pépins. Mélangez-les dans un saladier avec le sucre et la menthe ; réservez.

Pelez et émincez finement l'oignon, l'échalote et les gousses d'ail. Faites-les revenir avec l'huile à feu doux dans une sauteuse. Ajoutez ensuite les tomates et faites revenir sur feu assez vif pendant 5 à 6 minutes. Retirez du feu (les tomates ne doivent pas être vraiment cuites) ; ajoutez les lamelles de poivron et les câpres hachées, salez et poivrez.

☞Dénoyautez les olives et coupez-les en petits morceaux.

☞Versez la concassée de tomates au poivron dans un plat creux, ajoutez les olives sur le dessus et laissez refroidir complètement avant de servir avec des gressins.

Méli-mélo de chou blanc à la carotte

POUR 4 PERSONNES

PRÉPARATION : 20 MINUTES

REPOS : 1 HEURE

* ❄ 1 cœur de chou blanc bien serré
* ❄ 2 carottes longues bien rouges
* ❄ 150 g de crème fleurette allégée
* ❄ 1 citron
* ❄ 1 oignon
* ❄ 4 cuillerées à soupe de persil ciselé
* ❄ 1 cuillerée à soupe de mayonnaise allégée
* ❄ 2 cuillerées à soupe de vinaigre de cidre
* ❄ 1 cuillerée à café de vinaigre balsamique
* ❄ 1 cuillerée à café de sucre en poudre
* ❄ 1 cuillerée à café de moutarde douce
* ❄ sel et poivre

☙ Parez le chou en coupant la base du trognon, coupez-le en très fines lanières en éliminant les grosses côtes (ou râpez-le avec une râpe droite côté gros trous). Mettez-les dans un saladier, ajoutez le jus de citron dans lequel vous aurez délayé la moutarde, salez et poivrez. Réservez au frais.

☙ Pelez et râpez les carottes ; pelez l'oignon et émincez-le très finement. Ajoutez ces deux ingrédients dans le saladier avec le persil.

☙ Mélangez à part dans un bol la mayonnaise, la crème fleurette, les deux vinaigres et le sucre en poudre, salez et poivrez. Versez cette sauce dans le saladier et mélangez intimement. Couvrez et laissez reposer au réfrigérateur pendant une heure.

☙ Servez frais avec du pain de seigle.

Salade de fenouil aux poivrons

POUR 4 PERSONNES

PRÉPARATION : 20 MINUTES

* 4 bulbes de fenouil blancs bien fermes
* 200 g de fromage blanc en faisselle à 0 % de matière grasse
* 1 poivron rouge
* 1 poivron jaune
* 1 citron
* 2 cuillerées à soupe de ciboulette ciselée
* 3 cuillerées à soupe d'huile d'olive
* 1 petit oignon nouveau
* sel et poivre

Lavez les fenouils et essuyez-les, coupez la base et les tiges, mais conservez les sommités fines et vertes. Fendez les bulbes en deux dans la longueur, émincez-les très finement en les citronnant au fur et à mesure dans un saladier.

Lavez et essuyez les poivrons, coupez-les en deux, retirez les graines et les cloisons, taillez la pulpe en très petits dés. Ajoutez-les aux fenouils et réservez au frais.

Pelez et émincez très finement l'oignon nouveau en prenant un peu de vert, mélangez-le dans une jatte avec le fromage blanc égoutté, ajoutez le vert de fenouil finement haché, la ciboulette ainsi que l'huile d'olive. Mélangez vivement, salez et poivrez.

Mélangez ensuite dans un saladier le fenouil, les poivrons et la sauce au fromage blanc. Servez bien frais.

Salade d'endives à la truite fumée et aux pistaches

POUR 4 PERSONNES

PRÉPARATION : 20 MINUTES

* 6 endives bien blanches
* 4 filets de truite fumée (125 g environ)
* 2 poires à chair ferme
* 2 citrons
* 2 cuillerées à soupe de pistaches décortiquées
* 1 cuillerée à soupe de moutarde blanche
* 2 cuillerées à soupe de vinaigre à l'estragon
* 3 cuillerées à soupe d'huile d'olive
* 2 cuillerées à soupe de ciboulette ciselée
* 1 cuillerée à soupe de câpres
* sel et poivre

Retirez éventuellement les quelques feuilles extérieures des endives si elles sont un peu flétries ; il est inutile de laver les endives, mais il faut en revanche retirer la base amère. Émincez les endives avec un couteau bien aiguisé dans le sens de la longueur en les mettant dans un plat creux. Citronnez-les au fur et à mesure pour les empêcher de noircir.

Détaillez les tranches de truite fumée en lanières régulières (vous pouvez utiliser tout autre poisson fumé comme le flétan ou le saumon, mais évitez l'anguille).

Pelez les poires, coupez-les en quartiers, retirez le cœur et les pépins, citronnez les quartiers et émincez-les.

Mélangez dans un bol la moutarde, le vinaigre et l'huile d'olive en fouettant pour bien émulsionner. Ajoutez la ciboulette et les câpres (rincées, égouttées et hachées). Mélangez à nouveau.

Répartissez les endives en lit régulier sur des assiettes de service, disposez dessus les lanières de poisson fumé ainsi que les lamelles de poires. Arrosez de sauce et parsemez de pistaches grossièrement concassées.

Émincé de haddock aux navets nouveaux

POUR 4 PERSONNES

PRÉPARATION : 25 MINUTES

* *600 g de haddock véritable*
* *800 g de petits navets nouveaux*
* *1/2 concombre*
* *quelques radis rouges*
* *1 citron*
* *4 cuillerées à soupe d'huile d'olive*
* *1 cuillerée à soupe de persil ciselé*
* *poivre au moulin*

Pelez les navets et râpez-les grossièrement.

Pelez le concombre et détaillez-le en fines rondelles.

Lavez les radis, coupez-les en fines lamelles après avoir ôté les radicelles.

Détaillez le haddock en fines tranches obliques (comme pour du saumon fumé), en éliminant les arêtes qui pourraient subsister.

Mélangez dans un bol le jus du citron, l'huile d'olive et le persil.

Répartissez les rondelles de concombre sur des assiettes froides en les intercalant avec les lamelles de radis. Disposez dessus les tranches de haddock ainsi que les navets râpés présentés en dôme. Poivrez. Arrosez de sauce et servez frais.

Salade de champignons au céleri
et copeaux de parmesan

POUR 4 PERSONNES

PRÉPARATION : 30 MINUTES

* *400 g de champignons de Paris blancs et bien fermes*
* *500 g de céleri-rave*
* *2 branches de céleri*
* *100 g de parmesan en un seul morceau*
* *2 citrons*
* *2 cuillerées à soupe de ciboulette ciselée*
* *4 cuillerées à soupe d'huile d'olive*
* *1 cuillerée à café de sauce de soja claire*
* *1 cuillerée à café de vinaigre balsamique*
* *3 cuillerées à soupe de persil ciselé*
* *sel et poivre*

Pelez le céleri-rave en le citronnant au fur et à mesure. Râpez-le à la main en utilisant le côté gros trous de la râpe.

Effilez les branches de céleri et émincez-les très finement. Réunissez les deux céleris dans un saladier avec la ciboulette. Mélangez et réservez.

Coupez le pied terreux des champignons, évitez si possible de les laver, contentez-vous de bien les essuyer avec du papier absorbant. Émincez-les et citronnez-les, ajoutez-les dans le saladier et mélangez à nouveau. Le jus des deux citrons doit être entièrement utilisé et bien incorporé aux légumes.

Mélangez dans un bol l'huile d'olive, la sauce de soja, le persil et le vinaigre balsamique, salez et poivrez.

Répartissez la salade de champignons au céleri dans des assiettes de service, arrosez de sauce et ajoutez au moment de servir, en garniture, le parmesan prélevé en fins copeaux à l'aide d'un couteau économe.

Tzatziki

Pour 4 personnes
Préparation : 25 minutes
Repos : 2 heures

❋ *2 petits concombres bien fermes à peau lisse*
❋ *8 yaourts brassés à la grecque nature*
❋ *100 g de fromage blanc allégé*
❋ *1 poivron vert*
❋ *4 gousses d'ail*
❋ *1 petit bouquet de menthe*
❋ *3 cuillerées à soupe d'huile d'olive*
❋ *sel et poivre*

Pelez les concombres, coupez-les en deux dans le sens de la longueur, retirez éventuellement les graines, puis taillez la chair en petits dés. Mettez-les dans un saladier, saupoudrez de sel, couvrez et mettez au réfrigérateur pendant une heure.

Pendant ce temps, mélangez en fouettant les yaourts et le fromage blanc, salez légèrement et poivrez. Ajoutez les gousses d'ail pelées et finement hachées, les feuilles de menthe lavées, épongées et finement ciselées, ainsi que l'huile d'olive. Mélangez intimement.

Lavez et essuyez le poivron. Coupez-le en deux, retirez les graines et les cloisons, taillez ensuite la chair en très petits dés.

Égouttez les dés de concombre en les pressant entre vos mains.

Réunissez ensuite dans un seul saladier le concombre, le poivron et le mélange au yaourt et à la menthe. Mélangez et réservez encore une heure au frais avant de servir avec, par exemple des tomates cerises, des branches de céleri et des petits radis roses.

Boulgour à la tomate et aux petits oignons

POUR 4 PERSONNES

PRÉPARATION : 25 MINUTES

REPOS : 1 HEURE

* *400 g de boulgour aux épices précuit*
* *200 g de concombre*
* *2 tomates*
* *6 petits oignons blancs*
* *4 branches de céleri très tendres*
* *1 bouquet de persil plat*
* *1 citron*
* *5 cuillerées à soupe d'huile d'olive*
* *sel et poivre*

Versez le boulgour dans un saladier. Recouvrez-le juste à hauteur d'eau bouillante, couvrez et laissez la graine absorber l'eau. Ajoutez ensuite 2 cuillerées à soupe d'huile d'olive, mélangez intimement, couvrez et mettez le plat dans le bas du réfrigérateur pendant 30 minutes.

Pendant ce temps, pelez et hachez finement les oignons. Ébouillantez les tomates, épépinez-les et taillez-les en petits dés. Effilez et émincez très finement le céleri. Pelez le concombre et taillez la chair en petits dés. Lavez, épongez et ciselez le persil.

Mettez tous ces légumes ainsi que le persil dans le saladier avec le boulgour. Ajoutez le reste d'huile et le jus du citron, salez et poivrez. Mélangez et laissez reposer au frais pendant encore 30 minutes avant de servir. Mélangez à nouveau au moment de répartir le boulgour dans les assiettes.

Vous pouvez remplacer une partie du persil par de la menthe et compléter la garniture avec des petits raisins secs gonflés à l'eau tiède et soigneusement égouttés ou bien des olives noires dénoyautées et coupées en petits morceaux.

Salade de chou-fleur aux moules

POUR 4 PERSONNES

PRÉPARATION : 30 MINUTES

CUISSON : 20 MINUTES

REPOS : 1 HEURE

* *1 petit chou-fleur bien blanc et serré*
* *2 litres de moules*
* *2 échalotes*
* *2 yaourts nature*
* *1 cuillerée à soupe de moutarde douce*
* *1 verre de vin blanc*
* *1 branche de céleri*
* *1 bouquet de persil*
* *sel et poivre*

Dégagez le chou-fleur de ses côtes et coupez le trognon ; séparez le chou en petits bouquets réguliers, lavez-les et égouttez-les, puis faites-les cuire à la vapeur ou à l'eau bouillante salée en les gardant un peu croquants (entre 15 et 20 minutes). Ils ne doivent surtout pas s'écraser. Égouttez-les, rafraîchissez-les, égouttez-les à nouveau et réservez.

Grattez, brossez et lavez les moules à l'eau froide en jetant au fur et à mesure celles qui restent ouvertes. Égouttez-les dans une passoire.

Pelez et hachez les échalotes, effilez et hachez la branche de céleri. Lavez, épongez et ciselez le persil.

Mettez les échalotes, le céleri et la moitié du persil dans une grande marmite, ajoutez le vin blanc et faites bouillir. Ajoutez les moules, réglez sur feu vif et couvrez. Comptez 4 à 5 minutes au maximum pour que les moules soient ouvertes. Prélevez-les avec une écumoire et mettez-les dans une terrine, puis filtrez soigneusement le jus de cuisson à travers une mousseline.

☙Découquillez les moules en jetant celles qui restent fermées. Laissez-les tiédir.

☙Mélangez dans un bol le yaourt, la moutarde et juste assez du jus de cuisson des moules pour avoir une sauce onctueuse pas trop liquide, ajoutez le reste de persil et mélangez.

☙Réunissez dans un saladier les petits bouquets de chou-fleur et les moules, ajoutez la sauce, mélangez délicatement et servez à température ambiante.

Salade de céleri aux mangues et kiwis

POUR 4 PERSONNES

PRÉPARATION : 30 MINUTES

* *3 branches de céleri bien tendres avec quelques feuilles*
* *1 mangue juste mûre*
* *4 kiwis*
* *2 pommes reinettes ou granny-smith*
* *1 citron*
* *3 pots de yaourt liquide ou brassé*
* *1 cuillerée à café rase de gingembre en poudre*
* *1 cuillerée à soupe de vinaigre de cidre*
* *sel et poivre blanc*

Effilez les branches de céleri et coupez-les en petits tronçons ; ciselez les feuilles.

Pelez les fruits. Coupez la mangue en deux, retirez le noyau et taillez la chair en dés réguliers. Coupez les kiwis en rondelles, puis à nouveau ces rondelles en deux. Coupez les pommes en quartiers, retirez le cœur et les pépins, puis taillez les quartiers en lamelles et citronnez-les. Réservez tous ces ingrédients au frais.

Mélangez dans un bol les yaourts, le gingembre et le vinaigre de cidre en fouettant légèrement, salez et poivrez.

Réunissez dans une coupe les tronçons de céleri et les dés de mangue, les demi-lunes de kiwis et les lamelles de pommes au jus de citron, mélangez.

Ajoutez la sauce, mélangez à nouveau pour bien enrober les ingrédients et garnissez avec les feuilles de céleri.

Salade de poireaux au saumon fumé

POUR 4 PERSONNES

PRÉPARATION : 30 MINUTES

CUISSON : 15 MINUTES ENVIRON

* *600 g de petits poireaux jeunes, bien tendres*
* *250 g de saumon fumé*
* *100 g de jeunes feuilles d'épinard*
* *1 citron*
* *1 cuillerée à café de vinaigre balsamique*
* *3 cuillerées à soupe d'huile d'olive*
* *1 cuillerée à soupe de graines de coriandre*
* *quelques brins de coriandre fraîche*
* *sel et poivre*

Parez les poireaux en coupant une bonne partie du vert, lavez-les soigneusement et ficelez-les en deux bottillons égaux. Remplissez d'eau une casserole assez grande, salez et ajoutez les graines de coriandre, faites bouillir, puis ajoutez les bottillons de poireaux. Laissez-les jusqu'à ce qu'ils soient juste cuits, mais pas trop mous. Égouttez-les et épongez-les, retirez la ficelle et mettez-les dans un plat creux. Effilochez-les avec deux fourchettes et réservez.

Lavez et épongez les feuilles d'épinard puis ciselez-les grossièrement.

Taillez le saumon fumé en languettes.

Mélangez dans un bol le jus du citron, le vinaigre balsamique et l'huile d'olive, salez et poivrez.

Garnissez les poireaux de jeunes feuilles d'épinard ciselées, nappez de sauce et disposez ensuite les languettes de saumon fumé et les brins de coriandre fraîche. Servez à température ambiante.

Salade de poires au jambon
POUR 4 PERSONNES
PRÉPARATION : 30 MINUTES

* 4 belles poires à chair ferme (passe-crassane)
* 2 tranches de jambon blanc maigre (180 g environ)
* 1/2 poivron jaune
* 200 g de fromage blanc lisse à 0 % de matière grasse
* 2 citrons
* 1 oignon blanc
* 1 botte de cresson
* 1 bouquet de persil
* sel et poivre

Pelez les poires, coupez-les en quartiers, retirez le cœur et les pépins. Détaillez la chair en lamelles pas trop fines et citronnez-les au fur et à mesure pour les empêcher de noircir. Réservez-les dans un plat creux.

Coupez le jambon en petits carrés après avoir retiré le gras et la couenne. Pelez et hachez finement l'oignon. Lavez le poivron, essuyez-le, retirez les graines et les cloisons, taillez la chair en très fines languettes.

Triez le cresson et jetez les grosses tiges, lavez-le, essorez-le et hachez-le grossièrement. Lavez et épongez le persil, ciselez les feuilles et réservez-les.

Versez le fromage blanc dans un grand bol et ajoutez le jus d'un citron ; fouettez vivement, salez et poivrez, incorporez l'oignon et le cresson ; mélangez intimement pour obtenir une sauce épaisse.

Réunissez dans un saladier bas les lamelles de poires et leur marinade au citron, les carrés de jambon et les languettes de poivron. Mélangez délicatement et nappez avec la sauce au fromage blanc. Parsemez de persil ciselé et servez frais.

Salade de chou rouge
aux pommes et à la roquette
POUR 4 PERSONNES
PRÉPARATION : 30 MINUTES

* *200 g de chou rouge*
* *2 pommes Boskoop*
* *125 g de roquette*
* *200 g de céleri-rave*
* *1 citron*
* *4 cuillerées à soupe de jus de raisin*
* *2 cuillerées à soupe d'huile de noix*
* *1 cuillerée à soupe de vinaigre de cidre*
* *1/2 cuillerée à café de paprika*
* *sel et poivre*

❧Émincez le chou le plus finement possible dans un saladier. Pelez le céleri-rave et râpez-le grossièrement en l'arrosant avec le jus d'un demi-citron. Ajoutez-le au chou et mélangez.

❧Pelez les pommes, coupez-les en quartiers, retirez le cœur et les pépins, coupez-les en fines lamelles et citronnez-les également. Ajoutez-les aux deux ingrédients précédents.

❧Lavez et essorez la roquette, ciselez-la grossièrement.

❧Mélangez dans un bol le jus de raisin et le vinaigre, salez et poivrez, puis ajoutez l'huile petit à petit en fouettant, puis le paprika. Remuez bien.

❧Disposez la roquette dans un plat creux, ajoutez par-dessus le mélange de chou rouge aux pommes et au céleri, nappez de sauce en la laissant pénétrer parmi les ingrédients et servez frais.

Salade pourpre

POUR 4 PERSONNES

PRÉPARATION : 30 MINUTES

* *400 g de betteraves rouges crues*
* *300 g de cœurs de salade de trévise rouge*
* *4 blancs d'œufs durs*
* *1/2 citron*
* *2 oignons rouges*
* *2 cuillerées à soupe de vinaigre de vin rouge*
* *3 cuillerées à soupe d'huile de colza*
* *1 cuillerée à café d'huile de pistache*
* *sel et poivre*

Lavez les betteraves si elles sont un peu sales, puis pelez-les soigneusement et râpez-les finement dans un saladier, ajoutez le jus de citron, salez légèrement et poivrez. Laissez reposer.

Lavez la salade en l'effeuillant, puis égouttez-la. Pelez les oignons rouges et coupez-les en fines rondelles, puis défaites celles-ci en anneaux. Hachez les blancs d'œufs en petits dés.

Préparez une vinaigrette avec le vinaigre de vin rouge, les deux huiles, du sel et du poivre.

Ciselez la salade en mettant de côté quelques belles feuilles rouges entières.

Mélangez par ailleurs les betteraves râpées et la salade ciselée, arrosez de vinaigrette et remuez intimement.

Garnissez un plat de service avec les feuilles de salade réservées et versez au milieu la salade de betteraves, disposez par-dessus les rondelles d'oignon doux et parsemez le tout de petits dés de blanc d'œuf dur.

Brocolis à la vinaigrette

POUR 4 PERSONNES

PRÉPARATION : 25 MINUTES

CUISSON : 10 MINUTES ENVIRON

* *800 g de brocolis*
* *1 citron*
* *2 cuillerées à soupe d'huile de pépins de raisin ou de colza*
* *2 cuillerées à soupe d'huile de noisettes*
* *1 cuillerée à soupe de vinaigre de vin blanc*
* *1 cuillerée à café de moutarde douce*
* *2 cuillerées à soupe de cerfeuil ciselé*
* *2 cuillerées à soupe de ciboulette ciselée*
* *2 cuillerées à soupe d'amandes effilées*
* *sucre en poudre*
* *sel, poivre*

Nettoyez les brocolis en retirant les feuilles qui pourraient subsister ; coupez la base du trognon et les queues dures ; entaillez en quatre la base des tiges qui restent. Lavez-les et faites-les cuire pendant une bonne dizaine de minutes dans une grande quantité d'eau bouillante salée. Égouttez-les soigneusement quand ils sont encore *al dente*, puis séparez les inflorescences en petits bouquets.

Versez le vinaigre dans un bol, salez et mélangez avec une fourchette ; versez les deux huiles en fouettant, poivrez puis ajoutez la moutarde et le jus de citron. Incorporez ensuite les fines herbes et une pincée de sucre. Mélangez à nouveau pour obtenir une sauce homogène. Versez les brocolis dans un plat creux et arrosez-les de sauce, laissez reposer pendant quelques instants puis mélangez délicatement, garnissez d'amandes effilées et servez à température ambiante.

Vous pouvez faire griller les amandes à sec dans une petite poêle pour faire ressortir davantage leur arôme.

Salade de carottes aux flocons d'avoine

POUR 4 PERSONNES

PRÉPARATION : 25 MINUTES

* ❋ *600 g de jeunes carottes*
* ❋ *6 cuillerées à soupe de flocons d'avoine nature*
* ❋ *1 citron non traité*
* ❋ *1 orange non traitée*
* ❋ *2 pots de yaourt liquide nature*
* ❋ *1 cuillerée à soupe de sucre roux*
* ❋ *1 petit bouquet de cerfeuil*
* ❋ *sel et poivre*

☙Lavez les carottes, pelez-les et râpez-les dans un saladier. Râpez finement le zeste du citron et pressez le jus sur les carottes, mélangez.

☙Dans un bol, versez les yaourts et ajoutez le zeste du citron et le sucre, salez et poivrez. Fouettez jusqu'à obtenir une consistance homogène.

☙Lavez et épongez le cerfeuil, cisclez les feuilles.

☙Dans une jatte, mélangez les flocons d'avoine avec le jus de l'orange pressée (en évitant les pépins) ; laissez reposer pendant quelques minutes.

☙Dans une coupe de service, versez les carottes au jus de citron ; ajoutez les flocons d'avoine au jus d'orange et mélangez, puis ajoutez le yaourt aromatisé. Mélangez à nouveau et parsemez de cerfeuil ciselé. Vous pouvez aussi ajouter quelques noisettes concassées sur le dessus.

POISSONS
ET FRUITS DE MER

Carpaccio de saumon à l'huile d'olive et à l'aneth

POUR 4 PERSONNES
PRÉPARATION : 30 MINUTES
MARINADE : 30 MINUTES

* 4 filets de saumon de 180 g chacun environ
* 2 citrons
* 4 cuillerées à soupe d'huile d'olive
* 6 cuillerées à soupe d'aneth frais ciselé
* 1 échalote grise
* 2 cuillerées à café de câpres
* sel et poivre

✿ Mettez au préalable les filets de saumon dans le congélateur pendant un petit quart d'heure pour bien raffermir la chair et la trancher plus facilement. Pendant ce temps, pelez et émincez très finement l'échalote. Pressez le jus des citrons en éliminant les pépins. Hachez finement les câpres après les avoir rincées et bien égouttées.

✿ Préparez quatre grandes assiettes de service plates. Nappez-les chacune d'un filet d'huile d'olive. Mélangez le reste d'huile d'olive dans un bol avec le jus de citron et les câpres, salez et poivrez, réservez.

✿ Tranchez les filets de saumon en fines lamelles et répartissez-les sur les assiettes de service. Mélangez l'aneth et l'échalote, répartissez ces aromates sur le saumon, puis nappez avec le mélange d'huile et de jus de citron aux câpres.

✿ Couvrez les assiettes d'un film alimentaire et mettez-les dans le réfrigérateur pendant 30 minutes. Sortez-les ensuite un quart d'heure avant de déguster pour que l'huile ne soit pas figée.

Papillotes de moules à la provençale

POUR 4 PERSONNES

PRÉPARATION : 30 MINUTES

CUISSON : 12 MINUTES ENVIRON

❈ *2 litres de moules*

❈ *1 grosse tomate (cœur de bœuf si possible)*

❈ *1 fenouil*

❈ *2 citrons*

❈ *25 cl de vin blanc sec*

❈ *1 oignon*

❈ *1 courgette*

❈ *4 feuilles de laurier*

❈ *1 cuillerée à café de graines de fenouil*

❈ *sel et poivre*

☾ Préchauffez le four à 250 °C (th. 7-8). Grattez, brossez et lavez les moules à grande eau en jetant celles qui resteraient ouvertes. Lavez et essuyez les citrons, coupez-les en rondelles. Pelez l'oignon et émincez-le. Lavez la courgette et taillez-la en très fines rondelles. Ébouillantez la tomate, pelez-la et taillez-la en très petits dés. Parez et émincez très finement le fenouil.

☾ Préparez quatre grands carrés ou rectangles de papier sulfurisé. Mélangez oignon, courgette, tomate et fenouil, puis répartissez ce mélange sur les carrés de papier. Ajoutez le quart des moules, puis les rondelles de citron et les feuilles de laurier. Arrosez de vin blanc et parsemez de graines de fenouil.

☾ Fermez hermétiquement les papillotes en ourlant les bords bien serrés et faites-les cuire dans le four pendant une douzaine de minutes environ. Sortez-les et posez-les sur des assiettes chaudes. Chaque convive fend sa papillote et hume les parfums qui s'en dégagent avant de déguster (jetez les moules qui seraient restées fermées, ainsi que les feuilles de laurier).

Pavés de cabillaud aux poireaux

POUR 4 PERSONNES
PRÉPARATION : 15 MINUTES
CUISSON : 30 MINUTES

* 4 pavés de cabillaud de 180 g chacun environ
* 600 g de jeunes poireaux nouveaux
* 2 échalotes
* 2 cuillerées à soupe d'huile d'olive
* 2 cuillerées à soupe de ciboulette ciselée
* 4 cornichons
* 1 cuillerées à soupe de sauce de soja
* sel et poivre

☙ Lavez les poireaux en coupant une bonne partie du vert et les radicelles de la base ; rincez-les abondamment en écartant les feuilles, égouttez-les et épongez-les, puis émincez-les mais pas trop finement. Pelez et hachez les échalotes.

☙ Faites chauffer la moitié de l'huile dans un wok, ajoutez les échalotes et faites-les revenir doucement en les remuant jusqu'à ce qu'elles soient translucides. Ajoutez les poireaux et mélangez, faites-les revenir en remuant jusqu'à ce qu'ils soient tendres (une quinzaine de minutes environ). Ajoutez la sauce de soja et mélangez, salez légèrement et poivrez. Tenez au chaud hors du feu, en couvrant le wok d'un papier d'aluminium.

☙ Faites chauffer le reste d'huile dans une poêle à revêtement antiadhésif ; salez et poivrez les pavés de cabillaud. Déposez-les dans la poêle et saisissez-les des deux côtés, puis baissez le feu et laissez-les cuire pendant une dizaine de minutes.

☙Hachez finement les cornichons et mélangez-les avec la ciboulette. Faites juste réchauffer les poireaux dans le wok et répartissez-les sur des assiettes de service, posez les pavés de cabillaud dessus et parsemez avec le mélange de cornichons et de ciboulette.

☙Donnez un tour de moulin à poivre et servez.

Brochettes de lotte marinée

POUR 4 PERSONNES

PRÉPARATION : 30 MINUTES

MARINADE : 30 MINUTES

CUISSON : 10 MINUTES ENVIRON

❋ *800 g de queue de lotte coupée en cubes réguliers*
❋ *3 ciboules ou petits oignons nouveaux*
❋ *1 oignon rouge*
❋ *1 poivron vert*
❋ *8 champignons de Paris*
❋ *8 tomates cerises*
❋ *1 citron*
❋ *1 cuillerée à café de curry*
❋ *1 cuillerée à soupe de sauce Worcestershire*
❋ *1 cuillerée à soupe d'huile d'olive*
❋ *sel et poivre*

☙ Pelez et émincez finement les ciboules. Pelez et hachez l'oignon rouge. Faites chauffer l'huile dans une poêle pour y faire fondre doucement oignon et ciboules en remuant pendant 5 minutes. Ajoutez le curry et la sauce Worcestershire. Mélangez, retirez du feu et versez dans un plat creux rectangulaire.

☙ Taillez le poivron (lavé, essuyé et épépiné) en 12 morceaux carrés. Parez les champignons en coupant la base du pied terreux ; essuyez-les sans les laver. Ajoutez-les dans le plat ainsi que les carrés de poivron et les morceaux de lotte, salez, poivrez, arrosez de jus de citron et mélangez en retournant les ingrédients plusieurs fois pour bien les enrober. Couvrez et laissez mariner pendant une petite demi-heure.

☞Confectionnez quatre grandes brochettes en enfilant sur chacune d'elles, en alternant les ingrédients, deux champignons, les carrés de poivron, les tomates cerises et les morceaux de lotte.

☞Rangez ces brochettes dans le plat, sur les éléments de la marinade et faites-les cuire dans le four sous le gril pendant 5 minutes ; retournez-les et faites-les cuire encore 3 minutes environ.

☞Servez aussitôt avec du riz nature.

Darnes de colin en jardinière à la vapeur

POUR 4 PERSONNES

PRÉPARATION : 30 MINUTES

CUISSON : 25 MINUTES

* 4 darnes de colin
* 8 noix de coquilles Saint-Jacques
* 3 carottes longues
* 2 navets
* 2 poireaux
* 2 petites courgettes à peau fine
* 1 petit bulbe de fenouil
* 1 bouquet garni riche en thym
* 1 bouquet de persil plat
* 6 cuillerées à soupe d'estragon ciselé
* sel et poivre

℧ Pelez les carottes et les navets, parez les poireaux ; émincez ces légumes très finement ou taillez-les en fines languettes. Coupez les courgettes (lavées et essuyées, non pelées) en très fines rondelles. Émincez également très finement le fenouil.

℧ Versez de l'eau dans la partie basse d'un grand cuiseur à vapeur, ajoutez le bouquet garni et le bouquet de persil, portez à ébullition et disposez tous les légumes mélangés sur la grille ou dans le panier en formant un lit régulier. Salez et poivrez. Couvrez et faites cuire pendant un petit quart d'heure.

℧ Déposez les darnes de colin sur les légumes, couvrez à nouveau et faites cuire une douzaine de minutes ; ajoutez les noix de Saint-Jacques 4 ou 5 minutes avant la fin de la cuisson.

❦Retirez délicatement les darnes de colin et les Saint-Jacques, répartissez les légumes dans les assiettes, posez les morceaux de poisson dessus avec les Saint-Jacques, parsemez d'estragon et servez.

෴෴
෴

Truite saumonée au melon

POUR 4 PERSONNES

PRÉPARATION : 30 MINUTES

CUISSON : 20 MINUTES ENVIRON

* 2 filets de truite saumonée de 350 à 400 g chacun
* 1 petit melon bien mûr
* 400 g de champignons de Paris
* 1 citron
* 2 échalotes
* 3 cuillerées à soupe de vin blanc
* 8 belles grandes feuilles de laitue
* quelques feuilles de basilic
* sel et poivre

☞Nettoyez les champignons de préférence sans les laver en coupant la base du pied terreux. Émincez finement les chapeaux et citronnez-les. Hachez les pieds ; pelez et émincez finement les échalotes. Mettez dans une casserole le vin blanc, le hachis de champignons ainsi que les échalotes. Faites cuire doucement à découvert en remuant, pendant 10 minutes.

☞Coupez le melon en deux, retirez les graines et prélevez la pulpe puis coupez-la en petits dés. Ajoutez-les dans la casserole et couvrez. Laissez mijoter doucement pendant 5 minutes. Passez rapidement le tout au mixer, poivrez et gardez au chaud.

☞Étalez les feuilles de laitue, en les faisant se superposer légèrement, dans le panier d'une marmite ou d'un cuiseur à vapeur. Placez dessus les filets de truite et les champignons émincés. Couvrez et faites cuire pendant une quinzaine de minutes à partir de l'échappement de la vapeur (le temps de cuisson exact dépend de l'épaisseur des filets de poisson, s'ils sont plus ou moins charnus).

☙ Égouttez les filets de truite et les champignons émincés, disposez-les dans un plat creux, ajoutez la sauce au melon en garniture et ciselez le basilic frais par-dessus.

☙ ☙
☙

Aillade de cabillaud

POUR 4 PERSONNES
PRÉPARATION : 30 MINUTES
CUISSON : 15 MINUTES ENVIRON

* *600 g de filet de cabillaud*
* *200 g de fromage blanc en faisselle très bien égoutté*
* *3 tomates*
* *1 petit œuf dur*
* *1 laitue*
* *4 gousses d'ail*
* *50 cl de court-bouillon instantané*
* *2 cuillerées à soupe de câpres*
* *2 cornichons*
* *1 citron*
* *1 bouquet de cerfeuil*
* *sel et poivre*

Faites cuire le filet de cabillaud dans le court-bouillon délayé dans de l'eau froide et portez à ébullition (15 à 20 minutes selon l'épaisseur du filet), laissez refroidir, puis retirez les arêtes éventuelles qui pourraient subsister (vous pouvez utiliser des filets ou des pavés de poisson surgelés ; suivez alors le mode d'emploi de la cuisson au court-bouillon, voire au four à micro-ondes sans décongélation préalable).

Émiettez le poisson refroidi dans un saladier et l'arrosant de jus de citron. Incorporez ensuite le fromage blanc parfaitement égoutté sans trop travailler le mélange, salez et poivrez. Pelez et écrasez finement les gousses d'ail, ajoutez-les. Réservez le tout au frais.

☙ Hachez grossièrement les cornichons, l'œuf dur et les câpres ; ciselez le cerfeuil. Ajoutez ces ingrédients à la préparation précédente, remettez au frais.

☙ Lavez, effeuillez et essorez la salade, tapissez-en un plat de service en la taillant en grosse chiffonnade. Lavez, essuyez et coupez les tomates en rondelles.

☙ Versez le contenu du saladier au centre du plat de service et garnissez de rondelles de tomates.

Vous pouvez aussi tasser la préparation dans un petit saladier rond légèrement huilé et le réserver pendant 2 heures au frais, pour le démouler en forme de dôme sur la salade.

Médaillons de lotte à la vapeur

POUR 4 PERSONNES

PRÉPARATION : 25 MINUTES

CUISSON : 15 MINUTES ENVIRON

* *600 g de queue de lotte parée et dépouillée*
* *2 carottes longues*
* *4 cuillerées à soupe de fromage blanc lisse à 0 % de matière grasse*
* *1 oignon*
* *4 branches de céleri bien tendres*
* *1 bouquet garni riche en thym*
* *10 cl de vin blanc sec*
* *1 citron*
* *3 cuillerées à soupe de ciboulette ciselée*
* *sel et poivre*

Pelez les carottes et l'oignon, taillez-les en petits dés. Effilez les branches de céleri et coupez-les en petits tronçons réguliers. Versez 25 cl d'eau dans une casserole, ajoutez les légumes et le bouquet garni, portez à ébullition et faites cuire à petits bouillons pendant une dizaine de minutes.

Filtrez le bouillon obtenu et remettez-le dans la casserole en réservant à part les légumes, ajoutez le vin blanc et la moitié du jus de citron. Faites bouillir vivement pour faire réduire jusqu'à un volume de 25 cl environ. Retirez du feu et laissez tiédir, puis incorporez le fromage blanc en fouettant vivement. Salez et poivrez.

Remettez les petits dés et tronçons de légumes dans cette sauce, mélangez intimement et réservez.

☙Détaillez la queue de lotte en tranches régulières de 5 à 6 mm d'épaisseur. Faites-les cuire à la vapeur en les arrosant avec le reste de jus de citron pendant 5 minutes environ, salez et poivrez.

☙Répartissez-les sur des assiettes de service, nappez de sauce et garnissez de ciboulette ciselée.

Cocotte de colin aux palourdes

POUR 4 PERSONNES
PRÉPARATION : 20 MINUTES
CUISSON : 20 MINUTES ENVIRON

* *4 belles tranches de colin*
* *2 douzaines de palourdes pas trop grosses*
* *2 gousses d'ail*
* *30 g de margarine au tournesol*
* *1 bouquet de persil plat*
* *1 citron*
* *sel et poivre*

Rincez rapidement les tranches de colin, épongez-les et frottez-les de jus de citron, salez-les et poivrez-les sur les deux faces. Réservez au frais.

Brossez, lavez et rincez abondamment les palourdes à l'eau froide (elles doivent être toutes bien fermées, signe qu'elles sont parfaitement fraîches). Égouttez-les.

Pelez une gousse d'ail et frottez-en le fond et les parois d'une grande cocotte (en fonte émaillée de préférence). Pelez la seconde gousse d'ail et hachez-la finement ; lavez et épongez le persil, ciselez les feuilles ; réservez.

Faites chauffer la margarine sans la laisser roussir, puis faites dorer les tranches de colin sur feu pas trop vif en les retournant une fois ; baissez le feu et laissez mijoter pendant 4 à 5 minutes. Salez et poivrez légèrement. Lorsque la chair du colin laisse échapper un jus clair, ajoutez les palourdes et la deuxième gousse d'ail hachée, ainsi que le persil ciselé. Couvrez et laissez cuire sur feu modéré jusqu'à ce que tous les coquillages soient ouverts (jetez ceux qui restent fermés).

℃ Retirez la cocotte du feu. Égouttez les tranches de poisson et disposez-les dans un plat creux, ajoutez tout autour les palourdes ouvertes. Faites réduire le jus de cuisson sur feu vif, goûtez et rectifiez l'assaisonnement.

℃ Servez bien chaud avec des pois gourmands juste croquants ou des crosnes cuits à l'eau arrosés de jus de citron.

Merlu sauce verte

POUR 4 PERSONNES
PRÉPARATION : 30 MINUTES
CUISSON : 10 MINUTES ENVIRON

* *800 g de merlu (taillé de préférence dans la partie la plus proche de la tête)*
* *400 g d'épinards*
* *500 g de pointes d'asperges vertes*
* *8 gambas*
* *1 gros citron*
* *2 cuillerées à soupe de farine*
* *4 gousses d'ail*
* *4 cuillerées à soupe d'huile de colza ou d'olive*
* *1 bouquet de persil plat*
* *sel et poivre*

☞Lavez les feuilles d'épinard, retirez les tiges trop dures et plongez les feuilles dans une casserole d'eau bouillante pendant 2 minutes, égouttez-les, rafraîchissez-les à l'eau très froide, puis égouttez-les à nouveau dans une passoire en les pressant avec les mains. Hachez-les grossièrement.

☞Lavez, épongez et ciselez le persil.

☞Faites cuire les asperges à l'eau bouillante salée en les gardant un peu croquantes ; si elles sont fines et tendres, il est inutile de les peler, sinon pelez juste le départ de la tige (coupez la base fibreuse). Égouttez-les et épongez-les sur un torchon, puis réservez-les au chaud entre deux assiettes creuses sur une casserole d'eau bouillante.

☞Découpez le tronçon de merlu en tranches de 2 à 3 cm d'épaisseur, salez et poivrez. Arrosez-les de jus de citron, puis roulez-les dans un peu de farine. Faites chauffer 3 cuillerées à soupe d'huile dans une grande poêle afin d'y faire cuire les tranches de merlu sur feu modéré pendant 4 minutes de chaque côté environ, en les laissant dorer légèrement.

☙Pendant ce temps, lavez et épongez les gambas, faites-les griller sous le gril du four, sur la lèchefrite, en les badigeonnant juste un peu d'huile.

☙Égouttez les tranches de poisson et déposez-les sur un plat de service.

☙Pelez et écrasez les gousses d'ail, mettez-les dans la poêle de cuisson du poisson (avec l'huile), ajoutez l'épinard et le persil. Faites chauffer en remuant vivement sur feu modéré, salez et poivrez, ajoutez un peu de jus de citron et versez ce mélange sur le poisson.

☙Ajoutez en garniture les gambas grillées et les pointes d'asperges.

☙☙
☙

Crevettes royales au gingembre et à la menthe

POUR 4 PERSONNES

PRÉPARATION : 20 MINUTES

MARINADE : 2 HEURES

* ❋ 600 g de queues de grosses crevettes roses décortiquées (cuites), éventuellement décongelées (il s'agit des grosses crevettes dites royales)
* ❋ 1 laitue
* ❋ 1 petit concombre
* ❋ 2 cuillerées à café de gingembre frais pelé et finement râpé
* ❋ 4 cuillerées à soupe de menthe fraîche ciselée
* ❋ 6 cuillerées à soupe de jus de citron
* ❋ 6 petits oignons nouveaux grelots (ou des ciboules)
* ❋ 1 cuillerée à soupe de sauce de soja claire

☞ Rincez les queues de crevettes dans une passoire sous le robinet d'eau froide, puis épongez-les et mettez-les dans un saladier. Ajoutez le jus de citron (vous pouvez mélanger à parts égales du citron jaune et du citron vert et ajouter un peu de zeste très finement râpé).

☞ Pelez et émincez très finement les petits oignons ou les ciboules en conservant un peu de vert et ajoutez-les aux crevettes ; mélangez délicatement, puis ajoutez le gingembre et la menthe. Mélangez à nouveau et couvrez d'un film étirable. Laissez mariner pendant 2 heures au frais dans le bas du réfrigérateur. Remuez délicatement le contenu du saladier deux ou trois fois pendant la marinade.

☞ Pelez le concombre, coupez-le en deux dans la longueur et retirez les graines en les grattant avec une petite cuiller ; détaillez la pulpe en petits dés ou en bâtonnets. Lavez et essorez la salade.

🕭 Garnissez les assiettes de service avec les feuilles de salade ; égouttez les crevettes et répartissez-les dans les assiettes en les mélangeant avec les bâtonnets de concombre.

🕭 Versez la marinade dans un bol, ajoutez la sauce de soja et mélangez. Fouettez et arrosez le contenu des assiettes. Servez aussitôt.

Daurade aux algues

POUR 2 PERSONNES

PRÉPARATION : 40 MINUTES

CUISSON : 30 MINUTES

* 2 daurades de 750 g chacune environ
* 4 cuillerées à soupe de fromage blanc lisse à 0 %
  de matière grasse
* 4 belles poignées de varech (vous pouvez
  le demander à votre poissonnier)
* 3 tomates mûres
* 2 gousses d'ail
* 2 cuillerées à soupe de cerfeuil ciselé
* 2 cuillerées à soupe de persil haché
* 2 cuillerées à soupe d'huile d'olive
* 1 cuillerée à soupe de sauce Worcestershire
* 1 cuillerée à café de moutarde douce
* sel et poivre

☞ Videz et parez les daurades ; coupez les nageoires à ras (vous pouvez demander à votre poissonnier de le faire pour vous). Salez-les et poivrez-les intérieurement.

☞ Lavez, rafraîchissez et essorez soigneusement le varech ; disposez-en la moitié dans le fond d'une grande cocotte ou d'une sauteuse assez grande pour accueillir les deux poissons tête-bêche ; recouvrez-les avec le reste du varech, ajoutez un verre d'eau, couvrez et faites cuire sur feu assez vif pendant une petite demi-heure sans retirer le couvercle.

☞ Pendant ce temps, ébouillantez les tomates, pelez-les et coupez-les en deux ; pressez-les légèrement puis taillez-les en petits dés et versez-les dans une casserole. Pelez et hachez finement les gousses d'ail, ajoutez-les, ainsi que l'huile d'olive, le persil et le cerfeuil, salez et poivrez. Faites chauffer sur feu modéré en remuant pendant quelques minutes, puis ajoutez la sauce Worcestershire et la moutarde. Laissez cuire encore quelques minutes, puis retirez du feu et incorporez en fouettant le fromage blanc. Goûtez et rectifiez l'assaisonnement.

❧ Lorsque les daurades sont cuites, extrayez-les du varech (jetez celui-ci) et posez-les sur un plat de service bien chaud. Levez les filets à table et servez avec la sauce à part.

Comme garniture, vous pouvez proposer de la fondue de poivron ou de la ratatouille.

❧❧
❧

Filets de merlan au potiron

POUR 4 PERSONNES
PRÉPARATION : 30 MINUTES
CUISSON : 40 MINUTES ENVIRON

* *800 g de filets de merlan (frais ou décongelés)*
* *1 kg de potiron*
* *2 carottes longues*
* *2 oignons moyens*
* *1 bouquet garni*
* *1 petit bouquet de persil*
* *2 verres de vin blanc*
* *1 cuillerée à soupe d'huile d'olive*
* *1 bouquet de cerfeuil*
* *2 cuillerées à soupe de pignons de pin*
* *sel et poivre*

Pelez et émincez finement les oignons. Pelez les carottes et taillez-les en fines rondelles régulières. Versez ces légumes dans une marmite, ajoutez le bouquet garni et les queues des tiges de persil, ainsi que le vin blanc, complétez avec deux verres d'eau, salez et poivrez. Portez à la limite de l'ébullition et laissez frémir pendant 20 minutes environ, puis plongez les filets de merlan dans ce bouillon et laissez cuire à petits frémissements pendant environ un quart d'heure.

Pendant ce temps, pelez le potiron, coupez la pulpe en cubes et faites-les cuire à l'eau bouillante salée pendant une vingtaine de minutes ; égouttez-les et réduisez-les en purée, mettez-la dans une casserole avec l'huile et mélangez pour la dessécher sans la laisser roussir. Retirez du feu.

☙ Ciselez finement les feuilles du persil et du cerfeuil. Faites rissoler à sec les pignons de pin dans une petite poêle sans matière grasse, réservez.

☙ Égouttez les filets de merlan et réservez-les au chaud dans un plat creux, couvert de papier aluminium.

☙ Retirez le bouquet garni et les tiges de persil du bouillon, égouttez les éléments solides et passez-les au mixer, puis ajoutez-les à la purée de potiron. Mélangez intimement sur feu doux, goûtez et rectifiez l'assaisonnement, incorporez les fines herbes au dernier moment.

☙ Répartissez les filets de merlan sur des assiettes chaudes, garnissez de purée de potiron et ajoutez en décor les pignons de pin légèrement grillés, servez aussitôt.

Escalopes de saumon aux pommes

POUR 4 PERSONNES

PRÉPARATION : 30 MINUTES

CUISSON : 25 MINUTES ENVIRON

* *4 fines escalopes de saumon frais*
* *6 pommes reinettes*
* *200 g de fromage blanc épais à 0 % de matière grasse*
* *20 g de margarine au tournesol*
* *2 échalotes*
* *1 citron*
* *1 cuillerée à soupe de raifort râpé*
* *1 bouquet de ciboulette*
* *quelques brins d'estragon frais*
* *2 cuillerées à soupe d'huile d'olive*
* *sel et poivre*

Pelez les pommes, coupez-les en quartiers, retirez le cœur et les pépins, puis émincez les quartiers en lamelles dans une casserole, ajoutez la margarine et arrosez-les de jus de citron ; ajoutez les échalotes pelées et finement ciselées, faites chauffer et laissez mijoter doucement pendant une vingtaine de minutes en remuant de temps en temps.

Versez le fromage blanc dans une jatte. Incorporez en fouettant vivement le raifort râpé, la ciboulette et les feuilles d'estragon finement ciselées ; salez et poivrez. Réservez au frais.

Préchauffez le four à 280 °C. Huilez légèrement quatre assiettes en porcelaine à feu. Posez une escalope de saumon dans chaque assiette, retournez-la une fois, salez et poivrez. Mettez les assiettes dans le four chaud pendant 3 à 4 minutes.

☙ Versez ensuite dans chaque assiette, d'un côté la compote de pommes au citron et, de l'autre, la sauce au fromage blanc et au raifort.

☙ Servez aussitôt. Le contraste du chaud et du froid renforce celui des saveurs aigres-douces de la préparation.

☙ ☙
☙

Gigot de lotte à la niçoise

POUR 4 PERSONNES

PRÉPARATION : 30 MINUTES

CUISSON : 35 MINUTES ENVIRON

* ❊ *1 queue de lotte prête à cuire de 800 g environ*
* ❊ *1 poivron rouge*
* ❊ *1 poivron jaune*
* ❊ *2 petites aubergines longues*
* ❊ *4 petites courgettes à peau fine*
* ❊ *3 gros oignons*
* ❊ *2 gousses d'ail*
* ❊ *25 cl de vin blanc sec*
* ❊ *1 feuille de laurier*
* ❊ *2 brins de sarriette*
* ❊ *1 cuillerée à café de romarin séché, finement haché*
* ❊ *2 cuillerées à soupe d'huile d'olive*
* ❊ *1 citron*
* ❊ *2 cuillerées à soupe de jus de tomate*
* ❊ *sel et poivre*

☾ Pelez les gousses d'ail et taillez-les en éclats pointus ; piquez-en la lotte sur toutes les faces en les enfonçant profondément. Huilez légèrement un plat à gratin assez profond. Badigeonnez également d'huile le gigot de lotte en vous servant d'un pinceau à pâtisserie. Posez-le dans le plat, arrosez de vin blanc, salez et poivrez. Ajoutez autour le laurier émietté, la sarriette et le romarin, ainsi qu'un oignon pelé et très finement haché. Laissez en attente.

☾ Lavez et essuyez les poivrons, coupez-les en deux, retirez les graines et les cloisons, taillez la pulpe en lanières. Parez les aubergines sans les peler, coupez-les en petits dés. Lavez et essuyez les courgettes, ne les pelez pas non plus et taillez-les en rondelles. Pelez et émincez finement les deux oignons restants.

☞ Faites chauffer une cuillerée à soupe d'huile dans une sauteuse, ajoutez les oignons émincés et faites-les revenir doucement ; quand ils sont translucides, ajoutez les courgettes, les aubergines et les poivrons, arrosez-les de jus de tomate et ajoutez le zeste du citron râpé. Salez et poivrez ; laissez mijoter à couvert sur feu modéré pendant 25 minutes environ.

☞ Une dizaine de minutes avant la fin de la cuisson des légumes, enfournez le plat contenant la lotte dans le four et faites cuire à 200 °C pendant 10 à 12 minutes.

☞ Lorsque les légumes sont cuits, versez-les dans le plat contenant le poisson, tout autour, en les répartissant bien régulièrement et remettez le plat dans le four pendant une dizaine de minutes.

☞ Servez dans le plat, en complétant éventuellement la garniture avec du riz.

☙☙
☙

Lotte aux brocolis

POUR 4 PERSONNES
PRÉPARATION : 30 MINUTES
CUISSON : 25 MINUTES

* *800 g de queue de lotte sans la peau*
* *1 kg de brocolis bien verts*
* *1 sachet de court-bouillon*
* *12 cl de vin blanc sec*
* *3 branches de céleri*
* *1 citron*
* *1 bouquet garni*
* *2 yaourts nature*
* *1 cuillerée à soupe d'huile de noisette*
* *sel et poivre*

Délayez le sachet de court-bouillon dans un litre d'eau froide en lui ajoutant le vin blanc. Effilez et tronçonnez finement les branches de céleri ; coupez le citron en fines rondelles.

Versez le court-bouillon dans une grande casserole, ajoutez le céleri, le citron et le bouquet garni. Plongez la queue de lotte dedans et portez lentement à ébullition, salez et poivrez. Laissez pocher doucement pendant une vingtaine de minutes jusqu'à ce que la chair du poisson soit entièrement blanche et opaque.

Pendant ce temps, nettoyez les brocolis, éliminez les tiges trop dures et fendez la base des queues en croisillon. Partagez les grosses inflorescences en petits bouquets. Faites cuire le tout à l'eau bouillante salée jusqu'à ce que les tiges et les bouquets soient tendres mais encore un peu croquants. Puis égouttez-les, salez et poivrez, mettez-les dans un plat creux et arrosez-les d'huile de noisette. Réservez au chaud.

☞ Égouttez la queue de lotte et partagez-la en portions égales.

☞ Retirez le citron et le céleri de la cuisson du poisson ; réduisez-les ensemble en purée au mixer dans une petite casserole, délayez avec deux cuillerées à soupe du court-bouillon filtré, puis ajoutez les yaourts et faites chauffer tout doucement en fouettant. Salez et poivrez.

☞ Répartissez les portions de lotte dans les assiettes, garnissez de brocolis et nappez le poisson de la sauce.

※※
※

Bouillon de maquereaux à l'antillaise

POUR 4 PERSONNES

PRÉPARATION : 20 MINUTES

MARINADE : 1 HEURE

CUISSON : 10 MINUTES

❋ *800 g de petits maquereaux vidés et parés*
❋ *1 grosse mangue bien mûre*
❋ *3 bananes juste mûres*
❋ *6 citrons verts*
❋ *1 petit piment rouge*
❋ *2 feuilles de laurier*
❋ *3 gousses d'ail*
❋ *1 bouquet garni*
❋ *2 oignons*
❋ *sel et poivre noir en grains*

❧ Déposez les maquereaux vidés, lavés et essuyés dans une terrine. Arrosez-les avec le jus de trois citrons. Ajoutez les feuilles de laurier, le piment épépiné et haché, deux gousses d'ail pelées et émincées, ainsi que quelques grains de poivre. Retournez les poissons dans cette marinade et laissez reposer au frais à couvert pendant une heure, puis égouttez-les.

❧ Dans une marmite, mettez les oignons pelés et émincés, la dernière gousse d'ail pelée et hachée, du sel et quelques grains de poivre ; ajoutez la marinade avec tous ses ingrédients et complétez avec 1,5 litre d'eau. Portez à ébullition et plongez les poissons dedans. Comptez ensuite 8 à 10 minutes de cuisson après la reprise de l'ébullition.

❧ Pendant ce temps, pelez les bananes, coupez-les en rondelles et citronnez-les. Pelez la mangue, coupez-la en deux, retirez le noyau et taillez la pulpe en tranches ou en dés.

🍃 Égouttez soigneusement les poissons et disposez-les dans un plat creux. Placez les fruits en garniture. Arrosez avec le jus des citrons restants, en en gardant un demi coupé en fines rondelles pour le décor.

Loup en croûte de sel

POUR 4 PERSONNES
PRÉPARATION : 15 MINUTES
CUISSON : 35 MINUTES ENVIRON

* *1 loup (ou bar) de 1,8 kg environ, vidé, nettoyé, mais non écaillé*
* *2 kg de gros sel*
* *4 blancs d'œufs*
* *1 gros bouquet de persil plat*
* *1 cuillerée à soupe de câpres*
* *12 cl de vin blanc sec*
* *2 petites échalotes*
* *12 cl d'huile d'olive*
* *1 citron*

Préchauffez le four à 200 °C. Passez le poisson sous le robinet d'eau et essuyez-le avec du papier absorbant.

Mélangez dans un saladier le sel avec les blancs d'œufs jusqu'à obtenir une consistance de sable mouillé.

Étalez la moitié de cette préparation dans le fond d'un plat à gratin, posez le poisson dessus et recouvrez-le avec le reste du mélange en tassant bien pour qu'il soit entièrement recouvert. Mettez le plat dans le four et laissez cuire pendant 30 à 40 minutes : si vous piquez au centre du poisson le bout d'un couteau pointu, il doit être bien chaud.

Vers la fin de la cuisson du poisson, préparez la sauce. Lavez et épongez le bouquet de persil ; ciselez les feuilles dans un bol avec une paire de ciseaux, puis ajoutez les câpres grossièrement hachées, le vin blanc et l'huile d'olive. Pelez les échalotes et hachez-les très finement, ajoutez-les ainsi que le zeste finement râpé et le jus du citron. Mélangez intimement.

☯Sortez le plat du four et cassez la croûte de sel avec le dos d'une cuiller. Transférez le poisson dans un plat et retirez la peau.

☯ Servez la sauce à part, avec comme garniture des pommes de terre en robe des champs.

Vous pouvez aussi réaliser cette recette avec un saumon ou une truite saumonée.

Pot-au-feu de la mer

POUR 8 PERSONNES

PRÉPARATION : 30 MINUTES

CUISSON : 50 MINUTES ENVIRON

* *2 daurades*
* *4 grondins*
* *1 tronçon de cabillaud de 800 g*
* *2 litres de moules brossées (prêtes à cuire)*
* *8 carottes longues*
* *8 poireaux*
* *500 g de haricots mange-tout*
* *2 oignons*
* *1 citron*
* *2 clous de girofle*
* *1 bouquet garni*
* *1 bouquet de ciboulette*
* *gros sel et poivre en grains*

❦ Demandez à votre poissonnier de lever les filets des poissons et de vous donner les têtes et les parures ; en fonction du marché, vous pouvez aussi utiliser un petit bar ou un tronçon de lieu. Pelez un oignon et piquez-le avec les clous de girofle. Pelez les carottes et nettoyez les poireaux en gardant le maximum de vert ; effilez et lavez les haricots.

❦ Mettez dans une grande casserole les têtes et les parures des poissons, l'oignon piqué, le deuxième oignon pelé et haché, une carotte émincée et le vert des poireaux haché, le bouquet garni, une cuillerée à soupe de gros sel et 12 grains de poivre. Ajoutez 1,7 litre d'eau, portez à ébullition et laissez bouillonner tranquillement pendant 30 minutes.

❧ Faites cuire les carottes et les poireaux à part dans de l'eau salée pendant 15 minutes, ajoutez les haricots et poursuivez la cuisson pendant encore 15 minutes.

❧ Faites ouvrir les moules dans une grande casserole sur feu vif, à couvert (pendant environ 5 minutes). Décoquillez-les et gardez-les au chaud. Filtrez soigneusement leur jus de cuisson et ajoutez-le au court-bouillon.

❧ Environ 10 minutes avant la fin de la cuisson des légumes, filtrez le court-bouillon et versez-le dans une grande casserole propre. Portez à ébullition, baissez le feu, mettez les différents poissons dedans (le tronçon de cabillaud coupé en tranches) et laissez pocher pendant 8 à 10 minutes.

❧ Égouttez les poissons et mettez-les dans un plat creux, ajoutez les légumes en garniture (ou servez-les à part) ; décorez avec les moules, arrosez de jus de citron et parsemez de ciboulette. Servez aussitôt.

❦ ❦
❦

Papillotes de lieu aux girolles

POUR 4 PERSONNES
PRÉPARATION : 25 MINUTES
CUISSON : 20 MINUTES ENVIRON

- ❈ *4 tranches de lieu jaune de 180 g chacune environ*
- ❈ *500 g de girolles*
- ❈ *1 bouquet de ciboulette*
- ❈ *1 échalote*
- ❈ *2 à 3 cuillerées à soupe d'huile de colza*
- ❈ *sel et poivre*

☞ Rincez et épongez les tranches de poisson, salez-les et poivrez-les, réservez.

☞ Coupez le pied sableux des girolles ; si elles ne sont pas trop sales, essuyez-les simplement, puis coupez-les en morceaux pas trop petits. Sinon, lavez-les très rapidement sans les laisser tremper et essuyez-les soigneusement avant de les détailler. Pelez et émincez très finement l'échalote.

☞ Faites chauffer 1 cuillerée à soupe d'huile dans une sauteuse, ajoutez l'échalote et laissez-la fondre doucement, ajoutez les girolles et faites-les sauter rapidement en les remuant pendant quelques minutes, salez et poivrez. Égouttez-les le plus possible.

☞ Découpez quatre grands carrés ou rectangles de papier aluminium épais ; huilez-les au pinceau sur la face la moins brillante et répartissez-y la moitié des girolles sautées. Posez par-dessus une tranche de lieu, ajoutez ensuite le reste des girolles et la moitié de la ciboulette finement ciselée. Fermez les papillotes en ourlant hermétiquement les bords. Placez-les dans la lèchefrite du four et faites cuire à 200 °C pendant une quinzaine de minutes.

Sortez les papillotes et posez-les sur des assiettes, fendez le dessus, entrouvrez et ajoutez le reste de ciboulette fraîche ciselée.

Potée de congre

POUR 4 PERSONNES
PRÉPARATION : 30 MINUTES
CUISSON : 45 MINUTES ENVIRON

❊ *1 morceau de congre de 800 g (dans le milieu du poisson)*
❊ *4 poireaux*
❊ *6 carottes*
❊ *2 branches de céleri*
❊ *4 grosses pommes de terre à chair ferme*
❊ *400 g de choux de Bruxelles*
❊ *1 gros oignon*
❊ *2 clous de girofle*
❊ *2 brins de thym frais*
❊ *1 feuille de laurier*
❊ *quelques feuilles d'oseille*
❊ *sel et poivre*

☡ Rincez et essuyez le morceau de congre, salez-le et poivrez-le. Réservez au frais.

☡ Parez, lavez et essuyez les poireaux ; tronçonnez-les en gardant le maximum de vert. Pelez les carottes et coupez-les en rondelles épaisses. Effilez, lavez, essuyez et tronçonnez les branches de céleri. Pelez, lavez, essuyez les pommes de terre et coupez-les en quartiers. Parez les choux de Bruxelles en éliminant éventuellement les feuilles flétries de l'extérieur, coupez le trognon à ras sans séparer les feuilles. Pelez l'oignon et piquez-le avec les clous de girofle.

☡ Mettez dans un grand faitout tous les légumes (sauf les pommes de terre), ajoutez l'oignon piqué, le laurier, le thym, salez et poivrez. Versez 2,5 litres d'eau et portez à ébullition, puis baissez le feu et faites cuire ensuite à petits bouillons pendant 25 minutes environ.

☙ Ajoutez alors le tronçon de congre, les pommes de terre et les feuilles d'oseille ; poursuivez la cuisson à petits bouillons pendant encore une vingtaine de minutes. Stoppez la cuisson.

☙ Retirez le morceau de congre avec une écumoire, mettez-le dans un plat creux, retirez la peau et l'arête centrale puis partagez-le en tronçons égaux. Répartissez-les dans des assiettes creuses, garnissez de légumes, arrosez avec un peu de bouillon (sans le thym, ni l'oignon piqué) et poivrez au moulin.

☙ En accompagnement, vous pouvez proposer des cornichons et de la moutarde douce.

Sashimi de daurade

POUR 4 PERSONNES

PRÉPARATION : 30 MINUTES

REPOS : 30 MINUTES

* 4 filets de daurade de toute première fraîcheur
* 1 radis noir de 400 g environ
* 12 petits radis roses
* 1 laitue
* 4 navets moyens
* 1/2 yaourt nature
* 1 cuillerée à café bombée de raifort râpé
* 1 citron
* 4 cuillerées à soupe de sauce de soja foncée
* sel et poivre

☞ Une demi-heure avant le repas environ, rincez les filets de daurade et mettez-les dans un plat creux, couvrez-les d'eau froide et ajoutez quelques glaçons ; réservez au frais jusqu'au dernier moment.

☞ Pelez le radis noir et détaillez-le en très fines lamelles. Arrosez-les de jus de citron. Parez et lavez les petits radis roses. Fendez-les en quatre, en croisillon, du côté blanc, et mettez-les dans un saladier rempli d'eau froide avec des glaçons : dès qu'ils sont ouverts comme des fleurs, égouttez-les et épongez-les.

☞ Pelez les navets et râpez-les très finement, puis incorporez à cette pulpe le raifort râpé, ainsi que le jus de citron de macération du radis noir ; ajoutez enfin en mélangeant bien le yaourt nature, salez et poivrez modérément.

☙Lavez, essorez et effeuillez la laitue. Disposez les feuilles dans un grand plat rond. Répartissez par-dessus les fines rondelles de radis noir.

☙Égouttez et épongez les filets de daurade, posez-les à plat sur le plan de travail et détaillez-les en fines lamelles obliques. Disposez-les sur la laitue et le radis noir. Garnissez de radis roses ouverts en fleur.

☙Proposez à part le condiment au raifort et aux navets, ainsi que des coupelles de sauce de soja.

Truites aux petits légumes

POUR 4 PERSONNES

PRÉPARATION : 40 MINUTES

CUISSON : 15 MINUTES ENVIRON

❋ *4 truites de 250 g chacune environ, vidées*

❋ *400 g de haricots verts extrafins*

❋ *300 g de champignons de Paris*

❋ *2 carottes longues*

❋ *1 botte de cresson*

❋ *1 oignon*

❋ *2 citrons*

❋ *1 sachet de court-bouillon*

❋ *1 petit bouquet de ciboulette*

❋ *4 cuillerées à soupe d'huile d'olive*

❋ *1 cuillerée à soupe de vinaigre de vin blanc*

❋ *sel et poivre*

☞ Délayez le sachet de court-bouillon dans une casserole en fouettant avec 1,3 litre d'eau froide et le jus d'un citron. Rincez les truites et plongez-les dedans. Portez lentement à ébullition, puis laissez-les pocher doucement pendant une douzaine de minutes jusqu'à ce qu'elles soient presque cuites (la chair doit être juste opaque). Retirez la casserole du feu et laissez-les refroidir dans le court-bouillon, ce qui achève doucement leur cuisson. Laissez en attente.

☞ Pelez les carottes et coupez-les en fines rondelles ; effilez les haricots verts, rincez-les et égouttez-les ; coupez le pied sableux des champignons, lavez-les rapidement, égouttez-les, émincez-les et citronnez-les, mélangez-les avec la ciboulette ciselée. Triez, lavez et essorez le cresson. Pelez et hachez l'oignon très finement.

☙ Faites cuire séparément les haricots verts et les carottes à l'eau bouillante salée (ou à la vapeur) en les gardant un peu croquants. Égouttez-les et rafraîchissez-les, puis épongez-les soigneusement.

☙ Préparez une vinaigrette avec l'huile d'olive, le vinaigre, le sel et le poivre, ajoutez l'oignon haché et mélangez vivement.

☙ Égouttez les truites, retirez la peau et levez les filets en veillant à éliminer les arêtes.

☙ Tapissez les assiettes de service de cresson bien frais, disposez les filets de truite dessus, entourez de lamelles de champignons citronnées, de rondelles de carottes et de haricots verts.

☙ Arrosez de vinaigrette et servez frais.

Tian de morue aux pommes de terre

POUR 4 PERSONNES

PRÉPARATION : 30 MINUTES

DESSALAGE : 6 À 12 HEURES

CUISSON : 40 MINUTES ENVIRON

* *800 g de filets de morue pelés et désarêtés*
* *6 belles pommes de terre à chair ferme*
* *4 gousses d'ail*
* *1 bouquet garni*
* *1 gros bouquet de persil*
* *2 cuillerées à soupe d'huile d'olive*
* *1 cuillerée à café bombée de farine*
* *sel et poivre*

❧ Mettez les filets de morue dans une terrine pleine d'eau froide et laissez-les reposer pendant 6 à 12 heures, puis égouttez-les et épongez complètement (suivez le mode d'emploi indiqué sur le paquet). Coupez les filets en morceaux réguliers, pas trop petits, et mettez-lcs dans une casserole, couvrez d'eau et faites pocher sans ébullition pendant 12 à 15 minutes.

❧ Pendant ce temps, pelez les pommes de terre et coupez-les en cubes réguliers, lavez-les rapidement et épongez-les. Faites-les revenir dans une cocotte en fonte dans laquelle vous aurez fait chauffer la moitié de l'huile. Saupoudrez de farine, remuez pour faire légèrement colorer, puis ajoutez une gousse d'ail pelée et écrasée, salez et poivrez légèrement.

❧ Versez ensuite dans la cocotte un grand verre de l'eau de cuisson de la morue. Ajoutez le bouquet garni, couvrez et faites cuire sur feu doux pendant 10 à 12 minutes. Ajoutez ensuite les morceaux de morue égouttés (en conservant l'eau de cuisson) et poursuivez la cuisson pendant 10 minutes, en rajoutant éventuellement un peu d'eau de cuisson de la morue si le mélange semble trop sec.

❦ Frottez d'ail un grand plat à gratin en terre cuite vernissée (que l'on appelle « tian » dans la cuisine provençale). Retirez le bouquet garni de la cocotte et versez le contenu de celle-ci dans le tian.

❦ Hachez finement le reste d'ail avec le persil et répartissez ce mélange sur le dessus du plat, ajoutez un filet d'huile d'olive et faites gratiner dans le four pendant 3 à 4 minutes. Servez très chaud dans le plat.

Les filets de morue désarêtés et blanchis sont plus faciles d'emploi que la morue « en queue » ; ils ont aussi l'avantage de dessaler plus rapidement.

❦❦
❦

Truites aux fines herbes

POUR 4 PERSONNES

PRÉPARATION : 30 MINUTES

CUISSON : 20 MINUTES ENVIRON

* ❊ *4 truites de 180 g chacune environ, déjà préparées*
* ❊ *1 petite boîte de pointes d'asperges vertes*
* ❊ *8 tomates cerises*
* ❊ *1 gros oignon doux*
* ❊ *2 tranches de pain de mie*
* ❊ *2 cuillerées à soupe de lait*
* ❊ *1 yaourt nature*
* ❊ *1 gros citron*
* ❊ *4 cuillerées à soupe de persil plat ciselé*
* ❊ *4 cuillerées à soupe de cerfeuil ciselé*
* ❊ *2 cuillerées à soupe d'estragon ciselé*
* ❊ *quelques feuilles de basilic frais*
* ❊ *1 cuillerée à soupe d'huile de colza*
* ❊ *sel et poivre*

Rincez et essuyez les truites vidées et parées (nageoires coupées). Salez-les et poivrez-les intérieurement. Pelez et hachez finement l'oignon. Mélangez-le dans un petit saladier avec le persil, le cerfeuil et l'estragon.

Dans un bol, mouillez le pain de mie émietté avec le lait, écrasez-le, pressez-le et ajoutez-le aux fines herbes pour obtenir une farce homogène, salez et poivrez.

Farcissez chacune des truites avec cette préparation et fermez le ventre avec une petite pique en bois.

Huilez un plat à gratin assez profond et rangez dedans tête-bêche les truites farcies. Arrosez-les de jus de citron et faites-les cuire dans le four à chaleur moyenne pendant

15 à 20 minutes. Pendant ce temps, égouttez les asperges et passez-les au mixer en leur ajoutant le yaourt, salez et poivrez.

☞Sortez le plat du four, nappez les truites de cette sauce et remettez le plat dans le four pendant 2 minutes. Servez aussitôt en décorant avec des demi-tomates cerises et des feuilles de basilic.

VIANDES ET VOLAILLES

Papillotes de cuisses de poulet

POUR 4 PERSONNES

PRÉPARATION : 20 MINUTES

CUISSON : 30 MINUTES

- ❃ *4 cuisses de poulet fermier*
- ❃ *200 g de petits navets nouveaux*
- ❃ *200 g de haricots verts*
- ❃ *200 g de carottes*
- ❃ *4 tomates olivettes*
- ❃ *2 gousses d'ail*
- ❃ *1 petit citron*
- ❃ *1 cuillerée à soupe de thym frais haché*
- ❃ *2 cuillerées à soupe d'huile d'olive*
- ❃ *sel et poivre*

☙ Pelez les navets et taillez-les en rondelles ; effilez les haricots, lavez-les et épongez-les ; pelez les carottes et taillez-les en petits dés. Pelez les gousses d'ail et émincez-les finement. Lavez les tomates et coupez-les en rondelles. Râpez finement le zeste du citron.

☙ Préchauffez le four à 240 °C. Découpez quatre grands rectangles de papier aluminium épais. Badigeonnez-les légèrement d'huile d'olive sur le côté mat. Répartissez le mélange de légumes sur ces carrés, ajoutez l'ail et le zeste de citron. Posez les cuisses de poulet dessus, salez et poivrez. Ajoutez le thym, pressez le jus de citron et ajoutez le reste d'huile en filet. Fermez les papillotes en ourlant hermétiquement les bords. Rangez-les dans la lèchefrite du four et faites cuire pendant une bonne demi-heure.

☙ Sortez les papillotes et posez-les sur des assiettes de service. Laissez chaque convive fendre lui-même en croix le dessus de la papillote pour découvrir l'intérieur.

Blanquette de volaille

POUR 4 PERSONNES

PRÉPARATION : 15 MINUTES

CUISSON : 1 HEURE 15

* 1 poulet fermier de 1,5 kg
* 250 g de petits champignons de Paris
* 3 poireaux
* 3 carottes
* 1 citron
* 4 cuillerées à soupe de crème fleurette allégée
* 1 cuillerée à soupe d'huile de colza
* 1 bouquet garni
* 1 bouquet de cerfeuil
* sel et poivre

Découpez le poulet en morceaux. Rincez-les et essuyez-les. Salez et poivrez.

Lavez et parez les poireaux en conservant une partie du vert ; taillez-les en rondelles. Pelez les carottes et coupez-les en bâtonnets. Nettoyez les champignons et laissez-les entiers s'ils sont vraiment petits, sinon coupez-les en deux dans la hauteur. Citronnez-les avec la moitié du jus de citron.

Faites chauffer l'huile dans une grande sauteuse ou une cocotte, ajoutez les poireaux et faites-les fondre doucement en remuant pendant 3 minutes. Ajoutez les morceaux de volaille et les carottes. Couvrez d'eau à hauteur et ajoutez le bouquet garni, ainsi que le reste de jus de citron. Portez à ébullition, puis baissez le feu, écumez, couvrez et laissez mijoter pendant une bonne heure jusqu'à ce que les morceaux de poulet soient bien tendres.

☙ Ajoutez les champignons pendant les vingt dernières minutes de cuisson. Salez et poivrez, incorporez la crème et laissez mijoter pendant encore quelques minutes.

☙ Servez dans un grand plat creux en ajoutant les pluches de cerfeuil au dernier moment.

Vous pouvez aussi réaliser cette recette avec des pilons et des hauts de cuisse de poulet que vous aurez acheté découpés.

Poulet en gelée à l'estragon

PRÉPARATION : 1 HEURE

CUISSON : 2 HEURES ENVIRON

PRISE AU FROID : 6 HEURES

* 1 poulet prêt à cuire de 1,4 kg environ
* 6 branches de céleri
* 250 g de petits navets nouveaux
* 4 gros cornichons à l'aigre-doux
* 2 bouquets d'estragon
* 6 à 7 feuilles de gélatine
* 2 brins de thym
* 1 feuille de laurier
* 1 oignon
* 1 clou de girofle
* 10 grains de poivre noir
* 1 cuillerée à soupe de gros sel
* quelques feuilles de céleri
* quelques tiges de persil

❧Pelez l'oignon et piquez-le avec le clou de girofle. Versez 3 litres d'eau dans une marmite, ajoutez le thym, le laurier, l'oignon piqué, le poivre en grains et le gros sel, une poignée de feuilles de céleri et une dizaine de queues de persil. Plongez dans ce bouillon le poulet ficelé (rajoutez éventuellement un peu d'eau pour qu'il soit complètement immergé). Portez à ébullition et laissez cuire à petits bouillons et à couvert pendant 1 heure 45 à 2 heures (jusqu'à ce que la chair soit bien tendre).

❧Retirez le poulet du bouillon et laissez-le refroidir. Passez le liquide et laissez-le également refroidir, puis mettez-le dans le réfrigérateur jusqu'à ce que la graisse se fige en surface. Retirez-la et jetez-la.

Prélevez un grand bol de ce bouillon dégraissé et versez-le dans une casserole. Lavez, effilez et tronçonnez finement les branches de céleri ; pelez et émincez les navets. Faites cuire ces légumes dans le bouillon jusqu'à ce qu'ils soient bien tendres. Égouttez-les.

Faites réduire le reste du bouillon sur feu vif pour en obtenir environ un litre. Faites par ailleurs ramollir les feuilles de gélatine dans de l'eau froide. Égouttez-les et pressez-les puis mettez-les dans le bouillon et faites chauffer. Lorsqu'il parvient à ébullition, retirez du feu et laissez tiédir. Lorsqu'il devient de consistance sirupeuse, versez-en une fine couche dans le fond d'un grand moule à cake. Faites prendre au réfrigérateur.

Pendant ce temps, désossez entièrement le poulet, éliminez la peau et coupez les chairs en petits morceaux. Effeuillez les branches d'estragon.

Remplissez ensuite le moule à cake de couches alternées de poulet et de légumes en ajoutant régulièrement des feuilles d'estragon. Arrosez délicatement avec le bouillon (légèrement réchauffé pour qu'il redevienne fluide) en le laissant pénétrer jusqu'au fond du moule. Disposez sur le dessus les cornichons coupés en rondelles. Couvrez et mettez au réfrigérateur pendant 6 à 7 heures.

Servez démoulé (il suffit de tremper le fond du moule dans de l'eau très chaude, puis de le renverser sur un plat long) avec une salade de concombre.

Côtes de veau à l'orientale

POUR 4 PERSONNES
PRÉPARATION : 20 MINUTES
CUISSON : 25 MINUTES

❊ *4 côtes de veau de 150 g chacune environ*
❊ *200 g de germes de soja (haricots mungo) bien frais*
❊ *200 g de pleurotes*
❊ *1 citron*
❊ *2 carottes longues*
❊ *2 cuillerées à soupe d'huile d'olive*
❊ *3 cuillerées à soupe de sauce de soja claire*
❊ *3 cuillerées à soupe de coriandre fraîche finement ciselée*
❊ *1 cuillerée à soupe de graines de coriandre*
❊ *1 cuillerée à soupe de baies roses*
❊ *sel et poivre*

☞ Lavez les germes de soja, plongez-les dans une casserole d'eau bouillante et faites-les blanchir pendant quelques minutes, puis égouttez-les soigneusement. Pelez les carottes et taillez-les en fins bâtonnets. Nettoyez les pleurotes et émincez-les.

☞ Faites chauffer la moitié de l'huile dans un wok, ajoutez les germes de soja, les carottes et les pleurotes, salez et poivrez. Faites sauter sur feu vif pendant 8 à 10 minutes, salez et poivrez. Retirez du feu. Ajoutez la sauce de soja et réservez au chaud à couvert.

☞ Faites chauffer le reste d'huile dans une grande poêle à revêtement antiadhésif ; salez et poivrez les côtes de veau, déposez-les dans la poêle bien chaude et faites-les bien dorer pendant 5 à 6 minutes de chaque côté. Arrosez-les de jus de citron. Égouttez-les et placez-les sur des assiettes de service.

ꙮ Entourez-les avec la garniture de légumes et parsemez avec les baies roses et les graines de coriandre grossièrement concassées.

ೋೋ
ೋ

Brochettes de veau à la marjolaine

POUR 4 PERSONNES

PRÉPARATION : 30 MINUTES

REPOS : 30 MINUTES

CUISSON : 8 MINUTES ENVIRON

* *500 g de rôti de veau cuit*
* *250 g de petits oignons nouveaux*
* *2 poivrons rouges*
* *1 cuillerée à soupe de marjolaine ciselée*
* *1 pain au lait*
* *3 cuillerées à soupe de lait écrémé*
* *1 gros oignon jaune*
* *1 œuf*
* *1 cuillerée à café rase de paprika doux*
* *quelques feuilles de laurier fraîches*
* *2 ou 3 biscottes*
* *2 cuillerées à soupe d'huile de colza*
* *sel et poivre*

Trempez le petit pain dans le lait tiède (ou simplement dans de l'eau), pressez-le, essorez-le et émiettez-le dans un saladier. Pelez et hachez finement l'oignon, ajoutez-le.

Détaillez la viande en dés et hachez-les grossièrement (sans les passer à la machine ou au robot pour ne pas les réduire en purée). Ajoutez-les dans le saladier, ainsi que la marjolaine, l'œuf battu et le paprika. Salez et poivrez. Malaxez le tout pour obtenir une farce homogène et assez consistante.

Écrasez les biscottes en chapelure avec un rouleau à pâtisserie (en les plaçant dans un sac en papier).

Façonnez avec la farce des boulettes grosses comme des belles noix, puis roulez-les dans la chapelure et rangez-les sur un plat. Couvrez d'un film étirable et laissez reposer pendant 30 minutes dans le réfrigérateur.

Pendant ce temps, lavez les poivrons, coupez-les en deux et retirez les graines et les cloisons ; détaillez ensuite la pulpe en carrés réguliers. Pelez les petits oignons.

Garnissez des brochettes métalliques en alternant les boulettes de farce, les oignons et les carrés de poivron ; ajoutez de temps en temps une demi-feuille de laurier.

Arrosez les brochettes d'un filet d'huile et faites-les ensuite griller sur feu assez vif pendant 6 à 8 minutes, soit dans le four sous le gril, soit sur un barbecue à une quinzaine de centimètres des braises.

Faites-les tourner une ou deux fois et servez-les avec du riz nature et un coulis de tomate au basilic.

Cocotte de veau au lait

POUR 4 PERSONNES

PRÉPARATION : 20 MINUTES

CUISSON : 50 MINUTES ENVIRON

* *800 g environ de noix de veau ficelée en rôti, sans barde*
* *1,5 litre de lait écrémé*
* *4 clous de girofle*
* *1 carotte*
* *1 oignon*
* *1 branche de céleri*
* *2 échalotes*
* *1 bouquet garni*
* *1 bouquet de persil plat*
* *sel et poivre*

Salez et poivrez la viande. Enfoncez les clous de girofle dans la chair en les espaçant bien. Réservez.

Pelez la carotte et taillez-la en petits dés. Pelez l'oignon et émincez-le finement. Effilez la branche de céleri et taillez-la en petits tronçons. Pelez et émincez les échalotes.

Versez le lait dans une casserole, salez et poivrez, ajoutez tous les légumes et aromates, ainsi que le bouquet garni. Portez à ébullition et faites réduire d'un tiers environ.

Mettez la noix de veau dans une cocotte, versez par-dessus le lait et les légumes. Couvrez et faites cuire dans le four à 220 °C pendant 30 à 35 minutes en retournant la viande une ou deux fois.

Sortez la cocotte du four et retirez la viande, déposez-la dans un plat creux et ôtez la ficelle. Retirez également les clous de girofle. Couvrez d'une feuille de papier aluminium.

❦ Retirez le bouquet garni du jus de cuisson de la cocotte et passez le contenu au mixer, puis faites réduire d'un tiers en fouettant sur feu assez vif jusqu'à obtenir une consistance onctueuse.

❦ Découpez la viande en tranches et répartissez-les sur les assiettes de service, arrosez de sauce, salez et poivrez. Parsemez abondamment de persil ciselé.

Proposez en accompagnement des tagliatelles fraîches aux épinards.

❦❦
❦

Roulades de veau aux endives et au jambon

POUR 4 PERSONNES

PRÉPARATION : 25 MINUTES

CUISSON : 45 MINUTES ENVIRON

* 4 escalopes de veau de 150 g chacune
* 4 belles endives de taille moyenne
* 4 fines tranches de jambon blanc sans la couenne
* 20 cl de vin blanc sec
* 3 cuillerées à soupe de fromage blanc lisse
  à 0 % de matière grasse
* 3 tomates mûres
* 1 citron
* 1 cuillerée à soupe de chapelure
* 2 cuillerées à soupe d'huile de colza
* sel et poivre

Essuyez les endives sans les laver, retirez le cône amer situé à la base avec un petit couteau pointu, laissez-les entières. Aplatissez les escalopes avec un rouleau à pâtisserie en les plaçant entre deux feuilles de film étirable. Salez-les et poivrez-les. Posez-les à plat une par une sur le plan de travail ; placez dessus une tranche de jambon, puis une endive. Enroulez le tout et maintenez ces roulades fermées avec des piques olive en bois.

Faites chauffer l'huile dans une sauteuse et déposez les roulades dedans, faites-les dorer doucement en les retournant plusieurs fois, puis arrosez-les avec le jus de citron et le vin blanc, salez et poivrez. Couvrez. Laissez mijoter à couvert pendant 35 minutes environ.

Pendant ce temps, ébouillantez les tomates, pelez-les et coupez-les en quartiers, retirez les graines et taillez la pulpe en petits dés. Lorsque les roulades sont cuites, sortez-les de la sauteuse et tenez-les au chaud dans un plat creux avec du papier aluminium.

❦ Ajoutez dans la sauteuse les tomates concassées et laissez mijoter pendant 3 à 4 minutes. Incorporez le fromage blanc et la chapelure, fouettez pour bien lier et rectifiez l'assaisonnement.

❦ Nappez les roulades de sauce ou servez celle-ci à part et proposez en accompagnement de la semoule de couscous ou du riz aux épices.

Épaule de veau farcie

POUR 4 À 5 PERSONNES
PRÉPARATION : 30 MINUTES
CUISSON : 45 MINUTES

* *800 g d'épaule de veau désossée*
* *300 g de feuilles d'épinard*
* *400 g de feuilles de bette*
* *100 g de feuilles d'oseille*
* *150 g de fromage blanc lisse à 0 % de matière grasse*
* *2 grandes tranches de pain de mie un peu rassis*
* *1 verre de lait écrémé*
* *1 cuillerée à soupe d'huile de colza*
* *2 cuillerées à soupe de ciboulette ciselée*
* *2 cuillerées à soupe de persil plat ciselé*
* *1 cuillerée à soupe de moutarde forte*
* *1 cuillerée à soupe d'huile de noix*
* *sel et poivre*

Émiettez le pain de mie et faites-le tremper pendant 5 minutes dans une assiette creuse avec le lait ; salez et poivrez. Pressez-le pour l'essorer complètement et réservez.

Coupez les queues des feuilles d'épinard ; parez les feuilles de bette en retirant les côtes dures. Lavez cette verdure en ajoutant l'oseille, puis faites-la cuire dans l'eau bouillante salée pendant 5 minutes. Égouttez-la et pressez-la dans une passoire pour éliminer le maximum d'eau. Versez-la dans une terrine, ajoutez la mie de pain, salez et poivrez. Hachez le tout grossièrement et mélangez intimement. Ajoutez éventuellement un peu de lait.

Mettez l'épaule de veau à plat sur le plan de travail ; étalez la farce dessus, puis roulez l'épaule en enfermant la farce et ficelez le tout pas trop serré. Badigeonnez-la avec l'huile de colza sur toutes les faces.

☞ Tapissez un plat à gratin d'une double feuille de papier aluminium débordant largement sur les côtés. Posez la viande farcie dessus et remontez les feuilles d'aluminium sans l'enfermer complètement. Faites cuire dans le four à 240 °C pendant 40 minutes. Retirez les feuilles de papier aluminium.

☞ Pendant la cuisson de la viande, battez le fromage blanc dans une jatte jusqu'à obtenir une consistance onctueuse en ajoutant la ciboulette et le persil ; salez et poivrez ; incorporez la moutarde et l'huile de noix et fouettez.

☞ Servez l'épaule farcie dans le plat chaud après avoir retiré la ficelle. Proposez la sauce à part et des pommes de terre cuites à la vapeur en garniture.

Grenadins de veau à la banane

POUR 4 PERSONNES

PRÉPARATION : 10 MINUTES

CUISSON : 15 MINUTES ENVIRON

- *4 grenadins de veau de 125 g chacun environ*
- *6 bananes pas trop mûres*
- *30 g de margarine au tournesol*
- *20 cl de vin blanc sec*
- *1 citron*
- *3 cuillerées à soupe de jus d'ananas (ou d'orange)*
- *sel et poivre*

Salez et poivrez les grenadins. Faites chauffer la margarine dans une sauteuse ; posez les grenadins dedans et faites-les colorer pendant 2 à 3 minutes, puis arrosez-les avec le vin blanc et portez à ébullition. Couvrez, baissez le feu et laissez mijoter pendant un petit quart d'heure.

Pendant ce temps, pelez les bananes, coupez-les en rondelles épaisses et citronnez-les.

Égouttez les grenadins sur un plat de service, retirez la ficelle et la barde qui les entourent (jetez-les). Tenez au chaud sous une feuille de papier aluminium.

Versez les rondelles de bananes dans la sauteuse, faites-les juste chauffer dans le jus de cuisson en les retournant délicatement. Goûtez et rectifiez l'assaisonnement, puis ajoutez-les en garniture autour des grenadins et servez, en arrosant le tout avec le jus d'ananas.

Le grenadin est une tranche de veau de 6 à 7 cm de diamètre et 2 cm d'épaisseur taillée dans le filet ou la noix ; elle est préparée par le boucher qui l'entoure d'une barde de lard maintenue par une ficelle.

Vous pouvez remplacer les grenadins par des escalopes, mais la viande du grenadin est plus fine et plus charnue.

Jarret de veau au fenouil et aux olives

POUR 4 PERSONNES
PRÉPARATION : 30 MINUTES
CUISSON : 1 HEURE 20

* ❋ 4 belles rouelles de jarret de veau
* ❋ 4 bulbes de fenouil
* ❋ 12 grosses olives vertes et noires mélangées
* ❋ 2 gousses d'ail
* ❋ 1 cuillerée à soupe rase de gingembre frais finement râpé
* ❋ 1 cuillerée à café de cannelle en poudre
* ❋ 1 mesure de safran
* ❋ 2 cuillerées à soupe d'huile d'olive
* ❋ 2 citrons
* ❋ 1 bouquet de coriandre fraîche
* ❋ sel et poivre

Rangez les rouelles de jarret de veau dans le fond d'une grande cocotte ou sauteuse légèrement huilée. Ajoutez les gousses d'ail pelées et écrasées, le gingembre, la cannelle et le safran, salez et poivrez légèrement (pour ne pas masquer le goût des épices). Arrosez le tout avec le reste d'huile, puis versez de l'eau tiède juste à hauteur de la viande. Couvrez et faites cuire pendant 50 minutes environ sur feu modéré.

Pendant ce temps, nettoyez les fenouils et coupez-les en deux ; plongez-les pendant 6 à 7 minutes dans une grande casserole d'eau bouillante salée, puis égouttez-les soigneusement.

Retirez les rouelles de viande de la cocotte et mettez-les de côté. Placez les fenouils à leur place, avec le jus des deux citrons. Couvrez et laissez cuire pendant une vingtaine de minutes. Ajoutez alors les olives dénoyautées et remettez également les rouelles de veau. Couvrez et poursuivez la cuisson pendant une dizaine de minutes.

☞ Goûtez et rectifiez l'assaisonnement. Servez directement dans la cocotte ou versez le tout dans un plat creux en plaçant les fenouils au fond. Parsemez de pluches de coriandre au moment de servir.

Lapin sauté à la provençale

POUR 4 PERSONNES

PRÉPARATION : 15 MINUTES

CUISSON : 40 MINUTES

* 1 lapin de 1,5 kg coupé en morceaux
* 400 g de tomates mûres
* 250 g de haricots verts
* 150 g d'olives vertes dénoyautées
* 150 g de petits oignons blancs grelots
* 1 échalote
* 2 gousses d'ail
* 1 cuillerée à soupe d'huile d'olive
* 1 cuillerée à soupe de thym frais haché
* 1 cuillerée à soupe de romarin frais haché
* sel et poivre

Ébouillantez les tomates, pelez-les et coupez-les en quartiers, retirez les graines, réservez. Pelez les petits oignons. Mélangez le thym et le romarin. Pelez et émincez très finement l'échalote et les gousses d'ail.

Faites chauffer l'huile dans une grande cocotte. Ajoutez l'ail et les échalotes, mélangez et faites revenir sans laisser roussir. Ajoutez les morceaux de lapin et laissez-les juste dorer, puis ajoutez les oignons grelots et les quartiers de tomates. Salez et poivrez. Couvrez et laissez mijoter tranquillement pendant 25 minutes.

Lavez les haricots verts et effilez-les, coupez-les en tronçons s'ils sont longs, ajoutez-les dans la cocotte ainsi que le mélange de thym et de romarin et les olives. Continuez la cuisson sur feu modéré à couvert pendant 15 minutes. Goûtez et rectifiez l'assaisonnement (attention aux olives vertes qui ajoutent une saveur un peu salée).

☞Égouttez les morceaux de lapin et répartissez-les dans des assiettes creuses, ajoutez les légumes en garniture et arrosez avec le jus de cuisson.

Escalopes de dinde au poivre vert

POUR 4 PERSONNES

PRÉPARATION : 20 MINUTES

CUISSON : 15 MINUTES

* 4 escalopes de dinde de 180 g chacune environ
* 3 tomates
* 20 cl de crème fleurette à 0 % de matière grasse
* 1 cuillerée à soupe bombée de poivre vert bien égoutté
* 1 petit piment vert doux
* 1 petit bouquet de cerfeuil
* 1 cuillerée à soupe d'huile d'olive
* sel et poivre

☞Ébouillantez les tomates pendant quelques secondes, puis égouttez-les, rafraîchissez-les et pelez-les (l'opération est encore plus facile si vous avez entaillé en croisillon les tomates sur la face opposée au pédoncule). Coupez-les en quartiers, retirez les graines et taillez la pulpe en très petits dés dans une jatte.

☞Lavez et essuyez le piment, fendez-le en deux et retirez les graines, hachez-le menu et ajoutez-le aux tomates, ainsi que les grains de poivre vert. Salez et poivrez. Réservez.

☞Salez et poivrez les escalopes de dinde ; aplatissez-les auparavant si elles sont un peu charnues. Faites chauffer l'huile dans une grande poêle à revêtement antiadhésif ; posez les escalopes dedans et saisissez-les sur feu assez vif pendant 5 à 6 minutes de chaque côté. Procédez éventuellement en deux fois si la poêle n'est pas assez grande.

☞Pendant ce temps, versez la crème dans une casserole et faites chauffer doucement. Ajoutez le contenu de la jatte (tomates concassées, piment et poivre vert), mélangez en remuant jusqu'à la limite de l'ébullition. Salez et poivrez. Retirez du feu.

❦Disposez les escalopes de dinde sur des assiettes chaudes, nappez de sauce et garnissez de pluches de cerfeuil. Proposez en garniture des épis de maïs cuits à l'eau ou grillés.

Vous pouvez également faire griller les escalopes de dinde en les gardant un peu charnues pendant 3 à 4 minutes de chaque côté.

❦ ❦
❦

Fricassée de dinde aux champignons

POUR 4 PERSONNES

PRÉPARATION : 25 MINUTES

CUISSON : 30 MINUTES

* *750 g d'escalopes de dinde assez charnues*
* *250 g de petits oignons grelots*
* *300 g de petits champignons de Paris*
* *15 cl de vin rouge*
* *3 échalotes*
* *1 bouquet de persil plat*
* *1 citron*
* *1 cuillerée à soupe d'huile de colza*
* *sel et poivre*

❧ Coupez le pied sableux des champignons ; lavez-les rapidement sans les laisser tremper, épongez-les et coupez les plus gros en deux, puis mettez-les dans une jatte et citronnez-les (vous pouvez aussi utiliser des petites girolles ou mélanger girolles et champignons de couche). Pelez les petits oignons et coupez-les en deux. Détaillez les escalopes de dinde en dés ou en languettes.

❧ Faites chauffer l'huile dans une sauteuse à revêtement antiadhésif ; ajoutez les morceaux de dinde et faites-les revenir en remuant sans arrêt sur feu modéré. Ajoutez les champignons et les oignons, avec une cuillerée à soupe du jus de citron des champignons. Mélangez pendant 5 minutes sur feu assez vif, salez et poivrez. Couvrez, baissez le feu et laissez mijoter pendant 20 à 25 minutes.

❧ Pendant ce temps, pelez et hachez finement les échalotes ; ciselez les feuilles du bouquet de persil.

☙Déposez le contenu de la sauteuse dans un plat creux. Tenez-le au chaud. Versez le vin rouge dans la sauteuse et ajoutez les échalotes. Mélangez et faites réduire sur feu vif pendant 3 à 4 minutes. Goûtez et rectifiez l'assaisonnement.

☙ Versez cette sauce sur les morceaux de viande et parsemez de persil. Proposez en garniture des courgettes à la vapeur ou des haricots mange-tout, juste arrosés d'un filet d'huile de noisettes ou de pistache.

∽∽

∽

Cocotte d'agneau à la ciboulette

POUR 4 PERSONNES
PRÉPARATION : 15 MINUTES
CUISSON : 45 MINUTES

❖ *800 g de gigot d'agneau désossé*
❖ *6 ciboules*
❖ *6 petits oignons nouveaux avec le vert*
❖ *2 petits citrons non traités*
❖ *1 bouquet de ciboulette*
❖ *3 gousses d'ail*
❖ *1 cube de bouillon de légumes*
❖ *1 cuillerée à soupe d'huile d'olive*
❖ *1 petit bouquet de persil plat*
❖ *sel et poivre*

Détaillez la viande d'agneau en cubes de 3 à 4 cm en retirant les parties grasses qui pourraient rester. Pelez et écrasez les gousses d'ail ; parez, lavez et égouttez les ciboules puis hachez-les grossièrement ; pelez les oignons et coupez-les chacun en quatre ; hachez finement la partie tendre du vert avec la ciboulette.

Faites chauffer l'huile dans une cocotte. Faites-y revenir les morceaux de viande sur feu modéré, en ajoutant les petits oignons au fur et à mesure. Ajoutez ensuite l'ail, puis un citron lavé, essuyé et coupé en fines tranches.

Délayez le cube de bouillon avec 25 cl d'eau chaude et versez-le dans la cocotte, salez et poivrez. Portez à ébullition, puis baissez le feu, couvrez et laissez cuire doucement pendant 20 à 25 minutes.

Ajoutez ensuite le vert d'oignon, les ciboules et la ciboulette, couvrez à nouveau et poursuivez la cuisson pendant 15 minutes environ.

☞Égouttez la viande et disposez les morceaux dans un plat creux ; ajoutez le jus du second citron dans la cocotte et mélangez sur feu vif, puis nappez la viande avec le jus obtenu. Parsemez de persil ciselé et servez aussitôt avec en garniture de la graine de couscous ou du boulgour.

෴෴
෴

Bœuf gros sel

POUR 6 PERSONNES

PRÉPARATION : 30 MINUTES

CUISSON : 4 HEURES

* 1,3 kg de gîte de bœuf
* 800 g d'os de bœuf ou de veau
* 6 carottes longues
* 4 navets
* 6 poireaux
* 3 branches de céleri
* 3 gousses d'ail
* 2 oignons
* 2 clous de girofle
* 1 bouquet garni
* sel, gros sel et poivre

Mettez les os de bœuf ou de veau dans un grand faitout et versez 2,5 litres d'eau par-dessus. Portez à ébullition, écumez plusieurs fois en raclant les parois du récipient et laissez bouillonner pendant 1 heure.

Pendant ce temps, préparez les légumes : carottes et navets pelés et laissés entiers, poireaux nettoyés et lavés (en laissant un peu de vert), branches de céleri effilées, liées en deux bottillons avec les poireaux. Pelez les gousses d'ail et laissez-les entières ; pelez les oignons, piquez-en un avec les deux clous de girofle et coupez le second en deux.

Au bout d'une heure de cuisson du bouillon, ajoutez le morceau de viande en une seule pièce et portez de nouveau à ébullition. Écumez soigneusement, puis ajoutez les légumes et les aromates, ainsi que le bouquet garni. Salez et poivrez, couvrez à demi et laissez cuire sur feu modéré pendant 3 heures.

❧Égouttez la viande et coupez-la en morceaux réguliers (jetez les os), disposez-les dans un grand plat creux et entourez-les avec les légumes (jetez le bouquet garni et l'oignon piqué).

Servez avec du gros sel, des cornichons, de la moutarde et des petites betteraves au vinaigre.

Petits pâtés de viande aux légumes

POUR 4 PERSONNES

PRÉPARATION : 40 MINUTES

CUISSON : 20 MINUTES

* 500 g de viande de veau maigre hachée
* 3 carottes
* 2 grosses pommes de terre
* 1 branche de céleri
* 1 cuillerée à soupe bombée de germes de blé
* 3 cuillerées à soupe de lait écrémé
* 1 petit œuf
* 1 oignon
* 2 cuillerées à soupe de persil plat ciselé
* 1 cuillerée à soupe d'huile de tournesol
* sel et poivre

☞ Versez la viande hachée dans un saladier. Pelez et hachez l'oignon finement, ajoutez-le à la viande avec le persil et mélangez en pétrissant avec vos mains mouillées.

☞ Pelez et râpez les carottes ; pelez et râpez les pommes de terre. Hachez la branche de céleri finement. Ajoutez ces trois ingrédients à la farce et pétrissez à nouveau. Incorporez ensuite les germes de blé et l'œuf entier, puis ajoutez le lait et mélangez intimement. Salez et poivrez. La farce doit être assez moelleuse mais encore ferme.

☞ Façonnez huit à dix palets avec cette farce. Huilez la plaque du four et badigeonnez également les pâtés des deux côtés. Rangez-les sur la plaque et faites-les cuire dans le four à 240 °C pendant une vingtaine de minutes jusqu'à ce qu'ils soient bien dorés.

☞ Servez-les bien chauds avec une salade verte.

LÉGUMES, PÂTES ET RIZ

Poêlée de légumes au gingembre et à la coriandre

POUR 4 PERSONNES
PRÉPARATION : 20 MINUTES
CUISSON : 30 MINUTES

* 300 g de pois gourmands
* 1 grosse aubergine longue
* 2 petites courgettes à peau fine
* 2 échalotes
* 1 tronçon de gingembre frais de 3 cm de long
* 1 petit bouquet de coriandre fraîche
* 2 cuillerées à soupe d'huile d'olive
* sel et poivre

☿ Effilez les pois gourmands, lavez-les rapidement et épongez-les. Lavez et essuyez l'aubergine et les courgettes, ne les pelez pas ; taillez-les en petits dés réguliers. Pelez et hachez finement les échalotes. Pelez le gingembre et râpez-le finement. Lavez la coriandre et coupez les tiges pour ne garder que les feuilles (ou pluches).

☿ Faites chauffer l'huile dans un grand wok ou une sauteuse. Ajoutez les échalotes et faites-les revenir en remuant jusqu'à ce qu'elles soient translucides. Ajoutez ensuite le gingembre, mélangez et faites revenir pendant encore 2 minutes. Ajoutez ensuite les petits dés d'aubergine et de courgettes. Faites revenir en remuant pendant 15 minutes sur feu modéré, puis ajoutez les pois gourmands et finissez de cuire pendant 10 minutes environ.

☿ Parsemez de coriandre et servez en garniture de viande blanche ou de volaille.

Vous pouvez remplacer les pois gourmands (dont la saison est assez courte) par des petits pois décongelés.

Pennes aux haricots verts et au basilic

POUR 4 PERSONNES
PRÉPARATION : 20 MINUTES
CUISSON : 12 À 15 MINUTES

* *400 g de pennes rigates*
* *300 g de haricots verts extrafins*
* *1 petit bouquet de basilic*
* *100 g de feuilles de roquette*
* *1 grosse tomate mûre*
* *2 cuillerées à soupe d'huile d'olive*
* *sel et poivre*

Faites cuire les pennes rigates dans un grand volume d'eau salée, égouttez-les quand elles sont *al dente* et versez-les dans un saladier, ajoutez une cuillerée à soupe d'huile d'olive, salez et poivrez. Lavez et épongez les feuilles de roquette, ajoutez-les aux pennes et mélangez ; laissez en attente.

Effilez les haricots verts. Effeuillez le basilic. Ébouillantez la tomate, pelez-la et taillez-la en très petits dés. Faites cuire les haricots verts à la vapeur ou à l'eau bouillante salée. Égouttez-les soigneusement.

Faites chauffer le reste d'huile dans une grande sauteuse, ajoutez les haricots verts et la tomate concassée, mélangez, puis ajoutez les pennes à la roquette. Mélangez en faisant réchauffer doucement, incorporez le basilic et goûtez pour rectifier l'assaisonnement.

Servez en plat végétarien ou pour accompagner du poisson grillé.

Fricassée de concombre au persil

POUR 4 PERSONNES
PRÉPARATION : 20 MINUTES
CUISSON : 10 MINUTES

* *2 beaux concombres bien fermes*
* *1 bouquet de persil*
* *2 cuillerées à soupe d'huile d'olive*
* *2 échalotes*
* *quelques brins d'aneth*
* *sel et poivre*

Pelez les concombres, puis coupez-les en deux dans le sens de la longueur. Avec une petite cuiller, grattez les graines pour les éliminer sans entamer la chair. Taillez ensuite la pulpe en demi-lunes de 0,5 cm d'épaisseur environ.

Pelez et hachez très finement les échalotes. Lavez le bouquet de persil, coupez les tiges (gardez-les pour un bouquet garni) et ciselez finement les feuilles. Hachez grossièrement l'aneth.

Faites chauffer l'huile d'olive dans une grande sauteuse ou un wok. Ajoutez les échalotes et faites-les revenir doucement sans les laisser colorer. Quand elles sont translucides, ajoutez les tronçons de concombre et la moitié du persil. Mélangez et faites revenir sur feu un peu plus vif en remuant sans arrêt pendant une dizaine de minutes. Videz l'excès de jus et ajoutez le reste du persil et l'aneth.

Mélangez intimement, salez et poivrez. Servez en garniture de poisson poché ou de viande blanche.

Fenouils braisés aux tomates

POUR 4 PERSONNES

PRÉPARATION : 15 MINUTES

CUISSON : 25 MINUTES

* ❊ *4 bulbes de fenouil avec le vert*
* ❊ *4 tomates charnues*
* ❊ *3 échalotes*
* ❊ *1 cuillerée à soupe d'huile d'olive*
* ❊ *1 cuillerée à soupe de graines de fenouil*
* ❊ *sel et poivre*

☙Parez les fenouils en mettant de côté la verdure fine qui surmonte les tiges. Retirez les feuilles trop coriaces de l'extérieur et coupez la base à ras. Coupez ensuite les fenouils en quartiers et faites-les cuire à la vapeur pendant 15 minutes. Égouttez-les très soigneusement et épongez-les dans un torchon en les pressant légèrement pour évacuer le maximum d'humidité (vous pouvez aussi les faire cuire à l'eau, mais ils risquent d'être alors trop détrempés). Laissez-les reposer sur du papier absorbant.

☙Pelez et émincez très finement les échalotes. Ébouillantez les tomates, égouttez-les et passez-les sous l'eau froide, puis pelez-les et coupez-les en quartiers, éliminez les graines et taillez la chair en petits dés.

☙Faites chauffer l'huile dans un wok ou une sauteuse à revêtement antiadhésif. Ajoutez les échalotes et faites-les revenir en remuant pendant 2 à 3 minutes. Quand elles sont translucides, ajoutez les tomates, salez et poivrez, mélangez et faites mijoter tranquillement pendant 2 à 3 minutes, puis ajoutez les quartiers de fenouil parfaitement égouttés. Couvrez, ajoutez les graines de fenouil grossièrement écrasées et laissez mijoter pendant environ 10 minutes.

☞ Goûtez et rectifiez l'assaisonnement. Si le jus rendu est trop important, retirez le couvercle et montez le feu pendant les dernières minutes de cuisson. Ajoutez le vert de fenouil grossièrement ciselé et mélangez délicatement.

☞ Servez pour accompagner, par exemple, du poisson grillé ou braisé.

Courgettes au citron et au cumin

POUR 4 PERSONNES
PRÉPARATION : 20 MINUTES
CUISSON : 20 MINUTES ENVIRON

* *1 kg de petites courgettes à peau fine, bien fermes*
* *2 citrons*
* *1 cuillerée à café de graines de cumin*
* *1 petite botte d'oignons nouveaux avec le vert*
* *2 gousses d'ail*
* *1 échalote*
* *3 cuillerées à soupe d'huile d'olive*
* *sel et poivre*

☕ Lavez et essuyez les courgettes, coupez les deux extrémités, ne les pelez pas, coupez-les en deux si elles sont un peu grosses et retirez les graines en les grattant avec une petite cuiller. Si elles sont vraiment petites, laissez-les entières. Coupez-les ensuite en tronçons (ou demi-tronçons) de 2 cm de long.

☕ Pelez les oignons et fendez-les en deux en conservant une bonne partie du vert. Pelez les gousses d'ail et l'échalote, hachez-les.

☕ Faites chauffer l'huile dans une sauteuse ou un wok, ajoutez les oignons, l'ail et l'échalote, mélangez et faites revenir sur feu modéré jusqu'à ce que le mélange devienne translucide, puis ajoutez les courgettes et les graines de cumin, arrosez avec le jus d'un citron, salez et poivrez. Couvrez et laissez mijoter pendant 20 minutes en remuant de temps en temps.

Râpez finement le zeste du second citron et pressez son jus. Ajoutez-les pendant les 5 dernières minutes de cuisson et mélangez.

Servez, chaud ou tiède, pour accompagner des brochettes grillées d'agneau, de poisson ou de fruits de mer.

Chou rouge à l'aigre-doux

POUR 4 PERSONNES
PRÉPARATION : 20 MINUTES
CUISSON : 30 MINUTES ENVIRON

* 800 g de chou rouge
* 250 g de quetsches
* 3 pommes acides
* 1 citron
* 1 cuillerée à soupe d'huile de tournesol
* 2 cuillerées à soupe de vinaigre de vin rouge
* 1 cuillerée à soupe de marjolaine séchée en poudre
* sucre en poudre
* sel et poivre

Nettoyez le chou en retirant les feuilles de l'extérieur, coupez-le en quartiers et éliminez éventuellement le trognon. Lavez-le soigneusement (dans une eau légèrement vinaigrée), épongez-le et émincez-le le plus finement possible : c'est ce que l'on appelle une julienne.

Faites chauffer l'huile dans une cocotte à fond épais ; versez-y ensuite la julienne de chou petit à petit en remuant avec une cuiller en bois ; réglez sur feu modéré, ajoutez la marjolaine, mélangez, couvrez et laissez cuire doucement.

Dénoyautez les prunes après les avoir lavées et essuyées, coupez-les en deux ou en quatre et ajoutez-les au chou rouge, ainsi que le vinaigre et un petit verre d'eau tiède. Salez et poivrez, ajoutez une bonne pincée de sucre et laissez mijoter à couvert pendant 30 minutes environ.

Pendant ce temps, pelez les pommes et coupez-les en quartiers, retirez le cœur et les pépins, taillez-les en lamelles et faites-les cuire à part dans une casserole à l'eau citronnée pendant une vingtaine de minutes jusqu'à ce qu'elles soient bien tendres. Égouttez-les soigneusement.

☞Égouttez le chou aux prunes et versez-le dans un plat creux, ajoutez les lamelles de pommes et mélangez délicatement, poivrez au moulin et servez.

☞Servez ce plat pour accompagner de la volaille rôtie ou pochée, voire du poisson poché (cabillaud, lieu ou haddock).

ॐॐ
ॐ

Endives au curry

POUR 4 PERSONNES
PRÉPARATION : 15 MINUTES
CUISSON : 45 MINUTES

* *1 kg d'endives pas trop grosses*
* *1 cuillerée à soupe rase de curry en poudre doux*
* *1 cuillerée à café rase de sucre roux en poudre*
* *15 cl de lait de coco*
* *1/2 citron*
* *1 cuillerée à soupe d'huile d'olive*
* *sel et poivre*

☞ Ne lavez pas les endives, retirez éventuellement les feuilles un peu abîmées de l'extérieur puis, avec un petit couteau pointu, creusez la base en forme de cône pour éliminer la partie amère.

☞ Versez l'huile dans une grande casserole ou sauteuse à fond épais. Disposez les endives dedans en les imbriquant les unes dans les autres. Salez et poivrez. Poudrez au fur et à mesure avec le curry et le sucre. Versez doucement le lait de coco et ajoutez le jus du citron. Portez à la limite de l'ébullition, puis baissez le feu et couvrez. Laissez mijoter pendant une bonne demi-heure jusqu'à ce que les endives soient bien tendres.

☞ Égouttez les endives et disposez-les dans un plat creux, nappez-les de sauce et servez aussitôt pour accompagner une viande blanche ou du poisson poché.

Vous pouvez aussi réaliser cette cuisson dans un four à micro-ondes : utilisez un saladier dans lequel vous tasserez les endives avec les condiments et l'huile ; couvrez d'un film alimentaire que vous percerez de quelques trous ; faites cuire environ 25 minutes à 750 W en les retournant à mi-cuisson (changez le film alimentaire à mi-cuisson en le perçant à nouveau pour la seconde partie de la cuisson).

Tagliatelles de légumes à la tomate

POUR 4 PERSONNES

PRÉPARATION : 30 MINUTES

CUISSON : 5 MINUTES ENVIRON

* *6 grosses carottes longues*
* *2 belles courgettes bien fermes à peau fine*
* *500 g de céleri-rave*
* *600 g de tomates charnues*
* *2 cuillerées à soupe d'huile d'olive*
* *1 citron*
* *2 gousses d'ail*
* *1 petit bouquet de basilic*
* *1 cuillerée à café de thym frais émietté*
* *sel, gros sel et poivre*

Pelez les carottes et lavez-les. Avec un couteau économe, prélevez des rubans de pulpe les plus longs et les plus larges possible. Plongez-les au fur et à mesure dans une terrine d'eau très froide.

Lavez les courgettes, ne les pelez pas et prélevez de la même façon de longs rubans de chair, en allant jusqu'à la limite de la partie centrale avec les graines (vous pouvez remplacer les courgettes par du concombre). Réservez ces rubans dans la terrine d'eau froide avec les carottes.

Pelez soigneusement le céleri. Taillez-le en tranches, puis réduisez ces tranches en rubans avec le couteau économe comme pour les légumes précédents, citronnez-les. Réservez.

Ébouillantez les tomates, égouttez-les, pelez-les et taillez-les en petits dés en éliminant les graines. Pelez et hachez finement les gousses d'ail. Lavez et épongez le basilic, ciselez-le, puis mélangez dans une jatte la concassée de tomate, l'ail, le thym et le basilic, en ajoutant l'huile d'olive en filet, salez et poivrez. Réservez à température ambiante.

☞ Faites bouillir 2 litres d'eau dans une grande casserole, salez, puis ajoutez les rubans de carottes et de céleri bien épongés. Laissez-les cuire pendant 2 à 3 minutes après la reprise de l'ébullition. Égouttez-les et épongez-les, versez-les dans un plat creux et couvrez de papier aluminium.

☞ Faites cuire les rubans de courgettes dans la même eau, pendant 2 minutes environ après la reprise de l'ébullition. Égouttez-les et épongez-les, ajoutez-les aux autres légumes et nappez de concassée de tomates, mélangez intimement.

☞ Servez aussitôt, par exemple comme garniture de filets de poisson grillés.

Petits légumes à la grecque

POUR 6 PERSONNES

PRÉPARATION : 35 MINUTES

CUISSON : 35 MINUTES

REPOS AU FRAIS : 1 HEURE

* *1 petit chou-fleur bien blanc*
* *6 petites carottes nouvelles*
* *6 petits navets nouveaux*
* *12 petits oignons grelots*
* *1 fenouil*
* *150 g de champignons de Paris*
* *1 courgette*
* *1 oignon jaune*
* *2 citrons*
* *20 cl de vin blanc sec*
* *1 bouquet garni*
* *1 cuillerée à soupe de graines de coriandre*
* *2 cuillerées à soupe de persil plat ciselé*
* *3 cuillerées à soupe d'huile d'olive*
* *sel et poivre*

Coupez le trognon et supprimez les feuilles et les côtes du chou-fleur. Détaillez celui-ci en petits bouquets réguliers. Grattez les carottes en gardant une petite partie de leur vert (juste le départ des fanes). Pelez les navets et gardez aussi le départ des fanes. Pelez les petits oignons grelots. Émincez finement le fenouil après l'avoir paré (retirez les feuilles trop dures de l'extérieur et la base) ; pelez et émincez finement l'oignon. Lavez rapidement les champignons si nécessaire, essuyez-les et coupez-les en deux ou en quatre selon leur grosseur. Citronnez-les (avec le jus d'un demi-citron). Lavez la courgette, ne la pelez pas et taillez-la en tronçons de 5 cm ; recoupez ces derniers en quartiers dans le sens de la longueur.

☙Faites chauffer l'huile dans une cocotte, ajoutez l'oignon et le fenouil émincés, faites-les revenir en remuant jusqu'à ce qu'ils deviennent translucides. Ajoutez ensuite les bouquets de chou-fleur, les carottes, les navets, les petits oignons, le jus de citron restant, le vin blanc, le bouquet garni et les graines de coriandre, salez et poivrez. Recouvrez les légumes d'eau froide et portez à ébullition, couvrez, baissez le feu et laissez cuire tout doucement pendant 20 minutes. Ajoutez alors les champignons et les petits tronçons de courgette. Poursuivez la cuisson sur feu modéré pendant 10 à 15 minutes. Les légumes doivent rester un peu croquants.

☙Laissez refroidir les légumes complètement dans leur eau de cuisson, puis prélevez-les avec une écumoire pour les mettre dans un plat creux.

☙Retirez le bouquet garni et arrosez les légumes avec une partie du jus de cuisson, réservez au réfrigérateur à couvert pendant une heure et parsemez de persil au moment de servir avec, par exemple, des brochettes de poisson ou d'agneau.

☙☙
☙

Brochettes de légumes au tofu

POUR 4 PERSONNES

PRÉPARATION : 30 MINUTES

REPOS : 15 MINUTES

CUISSON : 10 MINUTES

* ❉ 8 petits champignons de Paris
* ❉ 1 poivron rouge
* ❉ 8 petits oignons grelots
* ❉ 4 tomates cerises
* ❉ 1 banane pas trop mûre
* ❉ 200 g de tofu (fromage de soja) bien égoutté
* ❉ 1 pomme
* ❉ 8 petits bouquets de chou-fleur
* ❉ 1 citron
* ❉ 1 cuillerée à soupe d'huile d'arachide
* ❉ 1 cuillerée à soupe d'huile de sésame
* ❉ 2 cuillerées à soupe de ciboulette ciselée
* ❉ 1 cuillerée à café de curry
* ❉ sel et poivre

☙Mélangez dans un bol le jus du citron, les deux huiles, la ciboulette, le curry, salez et poivrez. Fouettez et réservez.

☙Réunissez dans un plat creux les légumes et les fruits, parés et laissés entiers ou coupés en morceaux selon leur taille : les champignons bien essuyés, sans les queues, coupés en deux dans la hauteur ; le poivron épépiné et coupé en carrés ; les oignons pelés ; la banane pelée et coupée en rondelles épaisses ; le tofu bien épongé et coupé en gros dés ; la pomme pelée, évidée et coupée en dés ; les bouquets de chou-fleur laissés tels, ainsi que les tomates (lavés et bien essuyés).

☜ Versez le contenu du bol sur ces ingrédients et remuez délicatement pour bien les enrober. Couvrez et laissez reposer pendant un quart d'heure.

☜ Confectionnez ensuite les brochettes en alternant régulièrement tous les ingrédients. Si vous utilisez des brochettes en bambou, pensez à les faire tremper dans de l'eau froide pendant une heure avant emploi.

☜ Faites griller les brochettes à chaleur douce dans le four pendant une dizaine de minutes en les retournant plusieurs fois et en les arrosant avec la marinade.

☜ Servez-les par exemple pour accompagner une volaille ou de la viande blanche, ou bien encore du riz complet avec du coulis de tomate comme plat végétarien.

Polenta aux champignons et au romarin

POUR 4 PERSONNES

PRÉPARATION : 10 MINUTES

CUISSON : 15 MINUTES

* *300 g de farine de maïs à cuisson rapide*
* *150 g de petits champignons de Paris ou de girolles*
* *4 gousses d'ail*
* *3 cuillerées à soupe de romarin finement haché*
* *4 cuillerées à soupe d'huile d'olive*
* *sel et poivre*

☞ Pelez et hachez finement les gousses d'ail. Nettoyez les champignons et laissez-les entiers s'ils sont petits, sinon coupez-les en petits morceaux. Versez 1,5 litre d'eau dans une grande casserole, ajoutez 2 cuillerées à café de sel et portez à ébullition.

☞ Pendant ce temps, faites chauffer la moitié de l'huile dans une petite casserole, ajoutez l'ail et faites-le revenir en remuant sans laisser roussir, ajoutez les champignons, salez et poivrez. Faites sauter sur feu un peu plus vif, ajoutez la moitié du romarin, mélangez et retirez du feu. Réservez.

☞ Lorsque l'eau bout dans la casserole, versez la farine de maïs en pluie sans cesser de remuer pour éviter les grumeaux. Incorporez le mélange de champignons à l'ail et au romarin et faites mijoter pendant une bonne dizaine de minutes en remuant sans arrêt jusqu'à ce que la polenta ait pris une consistance de purée de pommes de terre un peu molle. Salez et poivrez. Incorporez le reste d'huile d'olive et de romarin en remuant vivement et servez aussitôt, sans attendre, sinon la polenta aura tendance à épaissir.

La farine de maïs à cuisson rapide permet de cuisiner une bonne polenta nettement plus rapidement que la farine classique qui demande une grosse demi-heure de cuisson. Elle accompagne très bien la volaille rôtie.

Potiron à l'indienne

POUR 4 PERSONNES

PRÉPARATION : 25 MINUTES

CUISSON : 35 MINUTES ENVIRON

* *1 kg de potiron*
* *1 cuillerée à soupe d'huile de colza*
* *4 cuillerées à soupe de yaourt nature*
* *1 cuillerée à café de cumin en poudre*
* *1 citron vert*
* *2 cuillerées à soupe de coriandre fraîche ciselée*
* *1 cuillerée à soupe de gingembre frais finement râpé*
* *sel et poivre*

☙ Préchauffez le four à 220 °C.

☙ Pelez le potiron, retirez les graines et les parties fibreuses du cœur. Vous devez obtenir environ 800 g de pulpe prête à cuire. Détaillez celle-ci en tranches assez épaisses et badigeonnez-les légèrement d'huile sur les deux faces. Rangez-les sur la tôle du four et laissez-les cuire à mi-hauteur pendant une bonne demi-heure jusqu'à ce qu'elles soient bien tendres. Sortez-les du four, laissez-les refroidir, puis réduisez-les en purée dans une terrine à l'aide d'un moulin à légumes.

☙ Incorporez le yaourt, le jus du citron, le cumin et la coriandre en fouettant la préparation pour bien intégrer les arômes. Salez et poivrez, ajoutez le gingembre en dernier.

☙ Remettez cette purée dans une casserole et faites chauffer doucement sans laisser attacher. Servez-la chaude pour accompagner une viande ou un poisson grillé, ou bien refroidie avec des toasts grillés.

Pommes de terre aux oignons doux

POUR 4 PERSONNES
PRÉPARATION : 30 MINUTES
CUISSON : 1 HEURE ENVIRON

* *1 kg de pommes de terre nouvelles de taille moyenne*
* *600 g d'oignons doux*
* *1 gousse d'ail*
* *1 cuillerée à café de thym frais haché*
* *sel et poivre*

❧Brossez soigneusement les pommes de terre, lavez-les et essuyez-les. Ne les pelez pas. Coupez-les en deux dans le sens de la longueur (choisissez-les de préférence toutes de la même taille ; vous pouvez aussi prendre, hors saison, des charlottes ou autres pommes de terre à chair ferme). Pelez et émincez finement les oignons et la gousse d'ail.

❧ Dans une cocotte en fonte, placez une couche de pommes de terre, côté peau dessus, puis une couche d'oignons émincés avec une pincée d'ail et de thym ; salez et poivrez. Disposez par-dessus une seconde couche de pommes de terre, puis d'oignons et d'aromates, et remplissez ainsi la cocotte jusqu'à épuisement des ingrédients. Fermez hermétiquement la cocotte. Faites démarrer la cuisson sur le feu, puis mettez la cocotte dans le four à chaleur très douce (150 °C) et laissez cuire sans ouvrir pendant une heure.

❧Ce plat de pommes de terre cuit sans liquide ni matière grasse est idéal avec une salade de chicorée frisée ou de pissenlit, assaisonnée d'une vinaigrette à l'échalote.

Tomates farcies aux haricots verts

POUR 4 PERSONNES

PRÉPARATION : 25 MINUTES

CUISSON : 20 MINUTES ENVIRON

* *4 belles tomates rondes et charnues de 200 g chacune environ*
* *400 g de haricots verts*
* *2 yaourts nature*
* *4 cuillerées à soupe de ciboulette ciselée*
* *1 cuillerée à soupe d'huile d'olive*
* *sel et poivre*

☙ Lavez les tomates et essuyez-les, coupez-les en deux horizontalement à mi-hauteur et retirez les graines, évidez-les avec une petite cuiller à pamplemousse sans percer la peau. Salez-les intérieurement et déposez-les sur un torchon plié, laissez-les en attente.

☙ Équeutez et effilez les haricots verts. Faites bouillir une grande quantité d'eau dans un faitout, salez et plongez les haricots verts dedans. Laissez-les cuire pendant une petite dizaine de minutes à découvert à gros bouillons, puis versez-les dans une passoire, passez-les sous le robinet d'eau froide pour les rafraîchir. Versez-les dans une terrine et réduisez-les en purée au mixer en incorporant le yaourt et la ciboulette. Salez et poivrez.

☙ Remplissez les demi-tomates avec cette purée, lissez le dessus et rangez-les dans un plat à gratin légèrement huilé. Arrosez d'un filet d'huile et faites cuire dans le four pendant une dizaine de minutes à 150 °C. Servez chaud en garniture de viande blanche ou de poisson grillé.

Vous pouvez très bien utiliser pour cette recette des haricots verts surgelés.

Spaghettis aux câpres, anchois et romarin

POUR 4 PERSONNES

PRÉPARATION : 20 MINUTES

CUISSON : 12 MINUTES ENVIRON

* 400 g de spaghettis
* 150 g de câpres
* 8 filets d'anchois à l'huile
* 2 brins de romarin frais
* 2 gousses d'ail
* 4 brins de basilic frais
* 2 cuillerées à soupe d'huile d'olive
* sel et poivre

Égouttez et rincez les câpres ; si elles ont été conservées au sel, laissez-les tremper pendant 10 minutes dans de l'eau tiède, puis égouttez-les. Coupez-les en deux si elles sont grosses. Pendant ce temps, épongez les filets d'anchois et coupez-les en petits morceaux. Pelez et émincez finement les gousses d'ail. Ciselez les feuilles de basilic. Hachez finement les feuilles de romarin.

Faites cuire les spaghettis dans une grande quantité d'eau bouillante salée, puis égouttez-les à soigneusement dans une passoire en gardant quelques cuillerées à soupe d'eau de cuisson. Versez les spaghettis bien égouttés dans un plat creux chaud. Couvrez.

Faites chauffer l'huile un peu avant la fin de la cuisson des pâtes, ajoutez l'ail et les anchois, mélangez sur feu modéré, puis ajoutez les câpres, le romarin et 3 cuillerées à soupe d'eau de cuisson des pâtes. Mélangez en remuant pendant 2 minutes. Goûtez et rectifiez l'assaisonnement (attention au sel à cause des anchois et des câpres).

Versez cette sauce sur les spaghettis, mélangez intimement et servez aussitôt.

Raviolis aux crevettes à la vapeur

POUR 4 PERSONNES

PRÉPARATION : 30 MINUTES

CUISSON : 7 MINUTES

* 24 carrés de pâte à wonton (raviolis chinois, en vente dans les épiceries asiatiques)
* 150 g de queues de crevettes roses décortiquées
* 150 g de jambon maigre
* 1 cuillerée à café de vin blanc sec
* 2 cuillerées à café de sauce de soja claire
* 1 cuillerée à café d'huile de sésame
* 2 cubes de bouillon de volaille
* 1 bouquet de coriandre fraîche
* 1 bouquet de ciboulette fraîche
* 1 gousse d'ail
* 1 cuillerée à café d'huile d'arachide
* sel et poivre

℧ Hachez grossièrement le jambon et les queues de crevettes roses, mélangez-les dans un saladier avec le vin blanc, la sauce de soja et l'huile de sésame. Déposez une petite noix de cette farce au milieu de chaque carré de pâte, remontez les côtés et pincez-les pour les souder.

℧ Dans une casserole, délayez les cubes de bouillon dans 1 litre d'eau bouillante, ajoutez la coriandre et la ciboulette ciselées, ainsi que l'ail pelé et haché, salez et poivrez ; faites chauffer doucement.

℧ Par ailleurs, faites bouillir de l'eau dans une autre casserole et placez dessus un panier à vapeur (de préférence en bambou), badigeonnez-le légèrement d'huile.

℧ Déposez les raviolis dans le panier et faites-les cuire à la vapeur pendant 6 à 7 minutes, puis retirez-les.

℧ Répartissez le bouillon aux herbes dans des bols et ajoutez les raviolis, poivrez au moulin et servez aussitôt.

৶৶

৶

Tagliatelles aux petites salades cuites

POUR 4 PERSONNES

PRÉPARATION : 25 MINUTES

CUISSON : 15 MINUTES

* *400 g de tagliatelles vertes (à l'épinard)*
* *1 endive*
* *1 tête de trévise rouge*
* *1 cœur de laitue*
* *100 g de roquette*
* *1 gros bouquet de ciboulette*
* *1 bouquet de persil plat*
* *1 échalote*
* *2 cuillerées à soupe d'huile d'olive*
* *1 citron non traité*
* *sel et poivre*

Râpez très finement le zeste du citron et réservez-le dans une coupelle ; pressez le jus en éliminant les pépins. Lavez l'endive, coupez-la en deux, retirez le cône de chair amer situé à la base et émincez-la finement dans un saladier, citronnez-la légèrement (la moitié du jus).

Parez la trévise, lavez-la, essorez-la et émincez-la également dans le saladier ; ajoutez le cœur de laitue grossièrement ciselé, ainsi que la roquette ciselée. Lavez et épongez la ciboulette et le persil, ciselez les feuilles de ces fines herbes et ajoutez-les. Pelez et hachez finement l'échalote.

Faites chauffer 1 cuillerée à soupe d'huile dans un wok à revêtement antiadhésif, ajoutez l'échalote et faites-la revenir en remuant jusqu'à ce qu'elle devienne translucide, ajoutez ensuite toutes les salades et les fines herbes.

Mélangez et faites revenir en remuant sur feu modéré pendant 3 minutes. Retirez du feu.

☞ Faites cuire les tagliatelles dans une grande quantité d'eau bouillante salée. Égouttez-les quand elles sont *al dente*. Versez-les dans un plat creux où vous aurez mis le reste d'huile et de jus de citron, ainsi que le zeste finement râpé.

☞ Ajoutez le contenu du wok et mélangez intimement, salez et poivrez, servez aussitôt.

Spaghettis épicés aux carottes et aux pois gourmands

POUR 4 PERSONNES
PRÉPARATION : 30 MINUTES
CUISSON : 30 MINUTES

❋ *350 g de spaghettis*
❋ *2 grandes carottes longues*
❋ *250 g de pois gourmands*
❋ *40 g de beurre demi-sel*
❋ *30 g de parmesan fraîchement râpé*
❋ *1 gousse d'ail*
❋ *1 cuillerée à café de graines de fenouil*
❋ *1 cuillerée à soupe de poivre vert*
❋ *1 cuillerée à café de graines de cumin*
❋ *1 pincée de poivre de Cayenne*
❋ *1 cuillerée à soupe de curry en poudre*
❋ *sel*

☙Pelez les carottes et coupez-les en fins bâtonnets (d'abord en tronçons, puis chaque tronçon en quatre ou huit selon la grosseur de la carotte). Faites-les cuire à l'eau bouillante salée pendant une quinzaine de minutes, puis égouttez-les soigneusement. Réservez.

☙Effilez les pois gourmands, faites-les cuire 6 à 7 minutes à l'eau bouillante salée, égouttez-les eux aussi soigneusement. Pelez et hachez finement la gousse d'ail.

☙Faites chauffer une grande quantité d'eau dans un faitout pour la cuisson des pâtes.

☙Faites fondre le beurre doucement dans un grand wok antiadhésif sans le laisser colorer. Ajoutez l'ail, puis les carottes, les graines de fenouil, le poivre vert, le cumin et la pincée de poivre de Cayenne. Mélangez et laissez mijoter doucement pendant 3 minutes. Ajoutez les pois gourmands et faites-les juste chauffer en remuant délicatement.

☙ Salez l'eau des pâtes, poudrez de curry et versez les spaghettis ; faites-les cuire à gros bouillons et égouttez-les quand ils sont *al dente*.

☙ Versez-les dans un plat creux bien chaud, ajoutez les légumes aux épices et mélangez intimement. Saupoudrez de parmesan et servez.

Vous pouvez remplacer les pois gourmands par des haricots verts extrafins ou des bâtonnets de courgettes.

Vermicelles noirs aux Saint-Jacques

POUR 4 PERSONNES

PRÉPARATION : 20 MINUTES

CUISSON : 8 MINUTES ENVIRON

* *350 g de vermicelles ou de fins spaghettis noirs à l'encre de seiche*
* *16 noix de Saint-Jacques avec le corail (fraîches ou surgelées et décongelées)*
* *1 sachet de court-bouillon*
* *4 cuillerées à soupe d'aneth frais ciselé*
* *2 cuillerées à soupe de cerfeuil frais ciselé*
* *1 orange non traitée*
* *2 cuillerées à soupe d'huile d'olive*
* *sel et poivre*

Rincez les noix de Saint-Jacques à l'eau tiède et retirez éventuellement le boyau noir autour de la noix de chair ; épongez-les délicatement.

Râpez finement le zeste de l'orange et pressez son jus en éliminant les pépins.

Délayez le court-bouillon dans 1,5 litre d'eau et faites-le chauffer dans une casserole. Lorsque le liquide commence à frémir, ajoutez les noix de Saint-Jacques avec leur corail et laissez pocher tout doucement sans aucune ébullition pendant 3 à 4 minutes, puis retirez la casserole du feu.

Faites par ailleurs cuire les vermicelles dans une grande quantité d'eau bouillante salée, égouttez-les puis versez-les dans un plat creux. Ajoutez aussitôt les fines herbes mélangées, le zeste et le jus de l'orange, l'huile d'olive, salez et poivrez. Mélangez intimement.

☜Égouttez les noix de Saint-Jacques et coupez-les en deux dans l'épaisseur, ajoutez-les sur les pâtes, mélangez délicatement.

☜Servez aussitôt.

Pennes aux aubergines et aux poivrons

POUR 4 PERSONNES

PRÉPARATION : 15 MINUTES

CUISSON : 20 MINUTES

* *350 g de pennes rigates*
* *2 belles aubergines longues, bien fermes*
* *2 poivrons rouges*
* *2 cuillerées à soupe d'huile d'olive*
* *25 cl de yaourt nature*
* *1 gousse d'ail*
* *2 cuillerées à soupe de menthe fraîche ciselée*
* *sel et poivre*

Lavez et essuyez les aubergines, incisez-les en plusieurs endroits avec un petit couteau pointu. Lavez et essuyez les poivrons.

Rangez poivrons et aubergines sur la tôle du four tapissée de papier aluminium. Placez-les sous le gril chaud et faites-les griller en les retournant plusieurs fois au fur et à mesure qu'ils noircissent par endroits.

Retirez les poivrons au bout de 15 minutes et mettez-les dans un saladier, couvrez hermétiquement et laissez tiédir, puis pelez-les, coupez-les en deux, retirez les graines et les cloisons intérieures. Taillez la chair en fines lanières. Lorsque les aubergines sont bien tendres (au bout d'une vingtaine de minutes environ), sortez-les et pelez-les, puis taillez-les en languettes et mélangez-les avec les poivrons.

Pelez et hachez finement l'ail ; mélangez le yaourt, l'ail et la menthe, salez et poivrez.

Pendant la cuisson des légumes, faites cuire les pennes rigates dans une grande quantité d'eau bouillante salée.

❦Égouttez-les quand elles sont *al dente* et versez-les dans un grand plat creux bien chaud. Ajoutez les légumes et l'huile d'olive, mélangez intimement, puis ajoutez la sauce au yaourt.

❦Mélangez à nouveau avant de servir.

Riz pilaf à l'orange

POUR 4 PERSONNES

PRÉPARATION : 30 MINUTES

CUISSON : 25 MINUTES ENVIRON

* *400 g de riz basmati prêt à cuire*
* *100 g d'amandes effilées*
* *1 grosse orange à jus non traitée, à peau fine*
* *2 gros oignons doux*
* *2 cuillerées à soupe d'huile d'olive*
* *1 mesure de safran en filaments*
* *1 bâton de cannelle*
* *10 grains de poivre noir*
* *1 cuillerée à soupe d'eau de fleur d'oranger*
* *sel fin*

☞Prélevez le zeste de l'orange et faites-le bouillir pendant 2 minutes dans une petite casserole d'eau ; égouttez-le et réservez. Pelez les oignons et émincez-les très finement.

☞Faites chauffer l'huile dans une casserole à fond épais, ajoutez les oignons et faites-les revenir en remuant sur feu modéré pendant une dizaine de minutes jusqu'à ce qu'ils soient translucides. Pendant ce temps, faites tremper les filaments de safran dans une tasse d'eau chaude.

☞Versez le riz dans la casserole et mélangez aussitôt pour bien enrober les grains avec les oignons, ajoutez le safran égoutté, le bâton de cannelle et les grains de poivre grossièrement concassés. Mélangez intimement, ajoutez le zeste d'orange finement haché et son jus, ainsi que l'eau de fleur d'oranger. Versez également 40 cl d'eau bouillante. Portez à ébullition, puis baissez le feu et réglez au minimum. Couvrez et laissez cuire jusqu'à ce que le liquide soit presque entièrement absorbé (des petits trous apparaissent à la surface du riz).

☙Pendant ce temps, faites griller les amandes à sec dans une petite poêle (vous pouvez les remplacer par des pistaches).

☙Retirez la casserole du feu, éliminez le bâton de cannelle et laissez reposer à couvert pendant 5 minutes. Versez le riz à l'orange dans un plat creux, ajoutez les amandes et servez en garniture de poisson ou de volaille.

Risotto milanais

POUR 6 PERSONNES

PRÉPARATION : 20 MINUTES

CUISSON : 1 HEURE

* 500 g de riz spécial pour risotto (arborio ou carnaroli)
* 800 g de légumes mélangés (carottes, poireaux, branches de céleri, tiges de persil en quantités égales)
* 75 g de parmesan fraîchement râpé
* 2 gousses d'ail
* 6 grains de poivre
* 1 bouquet garni riche en thym
* 4 cuillerées à soupe d'huile d'olive
* 1 gros oignon
* 15 cl de vin blanc sec
* 1 dose de safran en filaments
* sel et poivre

Préparez d'abord le bouillon : réunissez tous les légumes parés, lavés et grossièrement hachés dans une grande casserole, ajoutez l'ail pelé, les grains de poivre et le bouquet garni. Versez 1,8 litre d'eau environ et portez à ébullition. Laissez mijoter doucement pendant 30 minutes, en écumant régulièrement. Filtrez le bouillon et laissez-le refroidir complètement (jetez les légumes). Vous pouvez en préparer une plus grande quantité et le congeler. Vous pouvez également, pour plus de rapidité, utiliser des cubes de bouillon instantané.

Lorsque vous commencez à préparer le risotto, faites chauffer le bouillon dans une casserole (1,5 litre pour cette recette).

Par ailleurs, faites chauffer la moitié de l'huile dans une autre casserole assez grande. Ajoutez l'oignon pelé et finement haché et faites-le revenir doucement pendant 10 minutes. Quand il commence à dorer, versez le vin et faites bouillir jusqu'à réduction presque complète du liquide. Versez le riz en pluie et ajoutez le safran. Mélangez intimement, puis versez le bouillon par petites quantités en remuant bien à chaque ajout ; attendez qu'il soit absorbé avant d'en rajouter. Laissez cuire jusqu'à ce que le riz soit bien tendre, salez et poivrez, puis incorporez le parmesan et le reste d'huile.

ত Rectifiez l'assaisonnement, couvrez et laissez infuser pendant quelques minutes avant de servir.

Risotto aux tomates séchées et au fromage

PRÉPARATION : 20 MINUTES

CUISSON : 30 MINUTES (SI LE BOUILLON EST DÉJÀ PRÊT)

* *350 g de riz spécial pour risotto (arborio ou carnaroli)*
* *1 litre de bouillon de légumes (voir la recette du risotto milanais)*
* *100 g de tomates séchées à l'huile*
* *100 g de fromage de chèvre pas trop sec*
* *2 cuillerées à soupe de parmesan fraîchement râpé*
* *4 cuillerées à soupe d'huile d'olive*
* *1 gros oignon*
* *1 feuille de laurier*
* *20 cl de vin blanc sec*
* *4 cuillerées à soupe de persil plat grossièrement ciselé*
* *sel et poivre*

☞ Faites chauffer le bouillon dans une casserole. Pelez et hachez finement l'oignon.

☞ Faites chauffer 3 cuillerées à soupe d'huile dans une grande poêle à rebords, ajoutez l'oignon et la feuille de laurier. Mélangez en remuant pendant 5 minutes jusqu'à ce que l'oignon devienne translucide. Versez le riz en pluie et remuez jusqu'à ce que les grains soient bien brillants. Versez le vin blanc et laissez cuire sur feu vif pendant 3 minutes jusqu'à ce qu'il soit presque entièrement évaporé. Versez alors une bonne louche de bouillon frémissant et remuez jusqu'à ce qu'il soit absorbé. Continuez la cuisson du risotto en ajoutant petit à petit le bouillon et en laissant le riz l'absorber.

☞ Au bout d'une quinzaine de minutes, ajoutez le fromage de chèvre coupé en petits dés, ainsi que les tomates séchées, égouttées et coupées en petits morceaux. Mélangez intimement et finissez de cuire pendant 5 à 6 minutes.

☙ Incorporez alors le reste d'huile d'olive, le persil et le parmesan. Mélangez intimement, retirez du feu, couvrez et laissez infuser pendant 2 minutes.

☙ Servez aussitôt en plat végétarien, éventuellement avec une salade de pourpier ou de roquette.

☙☙
☙

Risotto aux champignons et au vin rouge

POUR 6 PERSONNES

PRÉPARATION : 20 MINUTES

CUISSON : 30 MINUTES ENVIRON (SI LE BOUILLON EST DÉJÀ PRÊT)

* 500 g de riz spécial pour risotto
* 1,5 litre de bouillon de légumes (voir le risotto milanais)
* 180 g de petits champignons mélangés (champignons de Paris, girolles et petits cèpes de préférence)
* 75 g de parmesan fraîchement râpé
* 15 cl de vin rouge
* 1 gros oignon rouge
* 2 gousses d'ail
* 1 cuillerée à soupe de thym frais haché
* 3 cuillerées à soupe d'huile d'olive
* sel et poivre

Pelez l'oignon et hachez-le menu. Pelez et émincez les gousses d'ail. Nettoyez les champignons de préférence sans les laver et hachez-les grossièrement (vous pouvez utiliser des mélanges de champignons surgelés, décongelés).

Faites chauffer l'huile dans une grande casserole. Ajoutez l'oignon et l'ail et faites revenir en remuant sur feu doux pendant une dizaine de minutes sans laisser roussir. Ajoutez ensuite les champignons et le thym.

Faites revenir en remuant pendant 3 minutes, puis versez le vin et portez vivement à ébullition. Laissez évaporer presque entièrement le liquide, puis versez le riz en pluie et faites-le revenir en remuant jusqu'à ce que les grains soient parfaitement enrobés et mélangés avec les champignons et l'oignon.

☞ Versez une tasse de bouillon et laissez cuire sur feu modéré jusqu'à absorption complète. Poursuivez la cuisson (une vingtaine de minutes environ) en rajoutant peu à peu le bouillon. Attendez qu'il soit entièrement absorbé avant d'en rajouter davantage. Salez et poivrez.

☞ Retirez du feu, couvrez et laissez reposer pendant 2 minutes, puis incorporez le parmesan et servez en plat végétarien, avec une salade de chicorée frisée ou de trévise.

DESSERTS ET ENTREMETS

Coupes d'ananas aux kiwis

POUR 4 PERSONNES

PRÉPARATION : 30 MINUTES

REPOS AU FROID : 30 MINUTES

* *1 bel ananas bien mûr*
* *4 kiwis*
* *2 oranges non traitées*
* *1 cuillerée à café de cannelle en poudre*
* *2 cuillerées à soupe de menthe fraîche ciselée*

☾Coupez l'ananas en deux dans la longueur, puis chaque moitié en deux dans le même sens. Retirez la partie fibreuse située au centre, puis retirez la chair et taillez-la en petits quartiers. Répartissez ceux-ci dans des coupes individuelles. Pelez les kiwis et coupez-les en fines rondelles, ajoutez-les aux dés d'ananas.

☾Râpez finement le zeste d'une orange et pressez le jus des deux oranges. Mélangez ces ingrédients avec la cannelle en fouettant et arrosez-en le contenu des coupes.

☾Réservez au frais pendant une demi-heure et servez en garnissant le dessus de menthe ciselée.

Bavarois au citron vert

POUR 4 PERSONNES

PRÉPARATION : 15 MINUTES

CUISSON : 5 MINUTES

REPOS AU FROID : 2 HEURES

* 250 g de fromage blanc lisse à 0 % de matière grasse
* 20 cl de jus de citron vert
* 2 blancs d'œufs
* 2 cuillerées à soupe de sucre en poudre
* 8 bigarreaux confits
* 2 feuilles de gélatine

❦Mettez les feuilles de gélatine dans un bol d'eau froide et laissez-les tremper. Pendant ce temps, faites chauffer doucement le jus de citron dans une casserole. Égouttez et pressez la gélatine dans vos mains pour l'essorer légèrement, puis ajoutez-la dans la casserole avec le jus de citron. Mélangez intimement, retirez du feu et laissez refroidir.

❦Versez la préparation obtenue dans une terrine, ajoutez le fromage blanc et passez le tout au mixer jusqu'à obtenir une consistance bien lisse.

❦Par ailleurs, battez les blancs d'œufs en neige très ferme et incorporez-les délicatement au mélange précédent, tout en ajoutant également le sucre en poudre. Répartissez la préparation dans quatre ramequins (que vous aurez au préalable passés sous l'eau froide, sans les essuyer). Couvrez les ramequins d'un film étirable et mettez-les au réfrigérateur pendant 2 heures.

❦Pour servir, démoulez les ramequins sur des assiettes de service et décorez le dessus avec les bigarreaux confits grossièrement hachés.

Salade de fruits d'été au basilic

POUR 4 PERSONNES

PRÉPARATION : 25 MINUTES

MARINADE AU FRAIS : 1 HEURE

* *1 gros melon mûr*
* *200 g de fraises*
* *200 g de groseilles rouges*
* *200 g de framboises*
* *2 cuillerées à soupe d'eau de fleur d'oranger*
* *1 bouquet de basilic frais*

Coupez le melon en deux, retirez les graines et les fibres du cœur ; avec une cuiller parisienne (en forme de petite coupelle), retirez la chair en formant des billes et mettez-les dans un saladier. Récupérez le maximum de chair (même si elle n'est pas taillée en billes) et coupez-la en petits dés pour l'ajouter dans le saladier. Ajoutez également tout le jus qui a coulé lors de cette opération.

Équeutez les fraises et lavez-les si nécessaire, sinon, contentez-vous de les essuyer. Égrappez les groseilles. Essuyez délicatement les framboises. Ajoutez ces fruits dans le saladier et mélangez délicatement. Ajoutez l'eau de fleur d'oranger et couvrez. Laissez reposer pendant une heure au réfrigérateur.

Au moment de servir, lavez les feuilles du bouquet de basilic et ciselez-les rapidement. Sortez le saladier du réfrigérateur, ajoutez le basilic, mélangez délicatement et servez aussitôt.

Ramequins aux groseilles

POUR 4 PERSONNES

PRÉPARATION : 25 MINUTES

CUISSON : 15 MINUTES

* *250 g de groseilles*
* *2 œufs entiers*
* *150 g de fromage blanc lisse à 0 % de matière grasse*
* *1 cuillerée à soupe de sucre en poudre*
* *1 cuillerée à soupe rase de farine*
* *sel fin*

☼ Préchauffez le four à 180 °C.

☼ Égrappez les groseilles. Cassez les œufs en séparant les blancs des jaunes dans deux terrines différentes. Ajoutez aux jaunes le fromage blanc et le sucre, fouettez vivement jusqu'à obtenir une consistance homogène. Incorporez la farine toujours en fouettant, puis ajoutez les groseilles et mélangez délicatement pour bien les répartir dans la pâte.

☼ Par ailleurs, fouettez les blancs en neige ferme avec une pincée de sel, puis incorporez-les à la préparation avec une spatule en caoutchouc en soulevant la pâte de bas en haut.

☼ Répartissez cette pâte dans quatre grands ramequins ou moules individuels à revêtement antiadhésif et faites cuire dans le four pendant un quart d'heure. Sortez-les.

☼ Laissez-les tiédir et servez nature ou avec un coulis de fruits rouges.

Mousse de fraises au coulis de framboises

POUR 4 PERSONNES
PRÉPARATION : 15 MINUTES
REPOS : 1 HEURE

* 450 g de fraises
* 200 g de framboises
* 160 g de sucre en poudre
* 1 cuillerée à café de liqueur de fraise
* 4 blancs d'œufs
* 1/2 citron

☾ Lavez et équeutez les fraises. Passez-les au mixer, puis mélangez la purée obtenue avec 150 g de sucre et ajoutez la liqueur de fraise.

☾ Par ailleurs, fouettez les blancs d'œufs en neige bien ferme avec le reste de sucre. Incorporez-les à la purée de fraises et répartissez cette mousse dans des coupes individuelles. Mettez au frais, à couvert, pendant 1 heure.

☾ Réduisez les framboises en purée fine et liquide au mixer ou dans un robot. Ajoutez-lui le jus du demi-citron en éliminant les pépins.

☾ Versez ce coulis sur les mousses à la fraise et servez bien frais.

Salade d'oranges au Grand Marnier
et aux noisettes

POUR 4 PERSONNES

PRÉPARATION : 20 MINUTES

MARINADE : 1 HEURE

* 8 belles oranges à jus et à peau fine, non traitées
* 4 cuillerées à soupe de Grand Marnier
* 12 noisettes
* 3 cuillerées à soupe de sucre roux
* 2 cuillerées à soupe de cognac
* 1 cuillerée à soupe de cannelle
* poivre blanc au moulin

☙Lavez et essuyez les oranges. Pelez-les à vif en retirant le zeste (conservez-le) et la partie blanche située dessous. Coupez les oranges en tranches épaisses dans le sens horizontal et retirez les pépins éventuels. Disposez les tranches d'oranges en couches dans un saladier, avec leur jus, en parsemant le sucre petit à petit entre chaque couche. Arrosez le tout avec le cognac. Couvrez et laissez mariner au frais pendant une heure.

☙Taillez le zeste de quatre oranges en filaments et plongez-les pendant 3 minutes dans une casserole d'eau bouillante, égouttez-les puis roulez-les dans la cannelle. Réservez.

☙Concassez finement les noisettes après les avoir frottées dans un torchon rugueux pour éliminer la peau brune. Égouttez les tranches d'orange et mettez-les dans une coupe de service. Recueillez le jus de macération dans un grand bol, ajoutez-lui le Grand Marnier, les noisettes pilées et deux pincées de poivre. Mélangez.

☙Versez ce jus sur les oranges et décorez avec les zestes à la cannelle.

Pamplemousses caramélisés

POUR 4 PERSONNES

PRÉPARATION : 10 MINUTES

CUISSON : 5 MINUTES

* 2 beaux pamplemousses jaunes ou roses bien mûrs
* 2 cuillerées à soupe de sucre brun
* quelques bâtonnets d'angélique confite
* 4 blancs d'œufs
* sel fin

Lavez et essuyez les pamplemousses. Coupez-les chacun en deux dans l'épaisseur. Détachez chaque demi-quartier de l'écorce avec un couteau à pamplemousse, mais sans les dégager, pour faciliter ensuite la dégustation. Poudrez les demi-pamplemousses de sucre brun.

Fouettez les blancs d'œufs en neige très ferme avec une pincée de sel fin.

Passez les demi-pamplemousses sous le gril du four pendant quelques secondes pour caraméliser le sucre. Sortez-les, puis répartissez les œufs en neige dessus. Repassez-les dans le four pendant quelques minutes juste pour faire dorer cette meringue.

Sortez-les, décorez de petits bâtonnets d'angélique et servez aussitôt.

Poires pochées au vin rouge, à l'orange et au miel

Pour 6 personnes
Préparation : 25 minutes
Cuisson : 40 minutes
Repos : 1 heure

- *1 kg de petites poires assez fermes*
- *40 cl de vin rouge*
- *10 cl de jus d'orange (sanguine de préférence)*
- *3 cuillerées à soupe de miel*
- *150 g de sucre en poudre*
- *1 bâton de cannelle*
- *noix de muscade*
- *1 citron*

Versez le vin rouge dans une casserole en acier inoxydable. Ajoutez le jus d'orange, un demi-citron coupé en fines rondelles, le sucre, le miel, le bâton de cannelle et quelques pincées de noix de muscade finement râpée. Portez lentement à ébullition, mais ne laissez pas bouillir.

Pendant ce temps, pelez les poires. Laissez-les entières si elles sont petites, en conservant la queue. Sinon, coupez-les en deux, puis retirez le cœur et les pépins. Citronnez-les avec le reste du citron.

Plongez les poires dans le sirop bouillant. Couvrez et faites cuire doucement pendant 40 minutes en retournant les poires à mi-cuisson.

Piquez les poires à cœur avec une brochette pour voir si elles sont bien tendres. Égouttez-les et disposez-les dans un plat creux. Retirez et jetez le bâton de cannelle et les rondelles de citron.

Faites réduire le sirop en le surveillant : quand il nappe le dos d'une cuiller en bois, retirez du feu et versez-le sur les poires.

Laissez refroidir et servez à température ambiante.

Soupe de fruits au parfum de maracunja

POUR 4 PERSONNES

PRÉPARATION : 30 MINUTES

CUISSON : 10 MINUTES

* *3 fruits de la Passion (ou maracunja)*
* *1 gros citron juteux non traité*
* *8 feuilles de menthe*
* *1 gousse de vanille*
* *4 cuillerées à soupe de sucre*
* *2 mangues*
* *2 poires*
* *2 oranges*
* *2 kiwis*

☙ Prélevez la pulpe des fruits de la Passion et mettez-la dans une petite casserole. Râpez le zeste du citron ou prélevez-le en très fines languettes et ajoutez-le dans la casserole, pressez son jus par-dessus, ajoutez les feuilles de menthe et la gousse de vanille. Ajoutez 80 cl d'eau et faites chauffer. Laissez cuire à petits frémissements pendant environ 10 minutes. Retirez du feu et laissez refroidir complètement.

☙ Ajoutez alors le sucre, mélangez intimement et filtrez le contenu de la casserole dans une passoire fine pour le récupérer dans une jatte (jetez la pulpe, la menthe et la gousse).

☙ Pelez les mangues et retirez les noyaux, détaillez la pulpe en fines lamelles. Pelez les poires, coupez-les en quartiers, retirez le cœur et les pépins, détaillez les quartiers en lamelles. Pelez les oranges à vif et coupez-les en rondelles en récupérant tout leur jus. Réunissez ces fruits dans un saladier, arrosez-les avec le jus des oranges et le sirop. Laissez reposer au frais pendant une heure.

☞ Pelez les kiwis et coupez-les en fines rondelles. Servez la soupe de fruits dans des assiettes creuses et décorez le dessus avec les rondelles de kiwis.

☞ Servez frais mais non glacé.

Soufflé aux poires et framboises

POUR 4 PERSONNES

PRÉPARATION : 20 MINUTES

CUISSON : 30 MINUTES ENVIRON

* *4 poires de 150 g chacune environ*
* *150 g de framboises*
* *1 citron*
* *2 cuillerées à soupe de sucre*
* *4 blancs d'œufs*
* *15 g de beurre*
* *sel*

Pelez et évidez les poires. Coupez-les en quartiers et mettez-les dans une casserole en les arrosant avec le jus du citron. Ajoutez 10 cl d'eau et faites cuire à découvert pendant 15 minutes, puis passez le tout au mixer et laissez refroidir la purée ainsi obtenue.

Par ailleurs, mettez les framboises dans une petite casserole avec 1 cuillerée à soupe d'eau et la moitié du sucre. Faites-les juste chauffer pendant quelques instants en remuant, puis écrasez-les grossièrement et ajoutez-les à la purée de poires.

Fouettez les blancs d'œufs en neige très ferme avec une pincée de sel. Incorporez-les délicatement à la préparation précédente.

Faites fondre le beurre et badigeonnez-en au pinceau l'intérieur d'un moule à soufflé en Pyrex de 22 cm de diamètre. Poudrez-le avec le reste de sucre. Versez la préparation dedans et faites cuire dans le four à 180 °C pendant environ 15 minutes.

Servez aussitôt.

Macédoine de fruits au fromage blanc

POUR 4 PERSONNES

PRÉPARATION : 30 MINUTES

* *400 g de fromage blanc lisse à 0 % de matière grasse*
* *1 pomme golden ou granny-smith de 100 g*
* *1 grosse poire passe-crassane*
* *1 grosse pêche jaune*
* *8 cerises*
* *8 fraises*
* *4 blancs d'œufs*
* *1 citron*
* *2 cuillerées à soupe de sucre en poudre*
* *sel fin*

Pelez la pomme et la poire, coupez-les en quartiers, retirez le cœur et les pépins, coupez-les en petits dés dans un saladier et arrosez de jus de citron en éliminant les pépins.

Ébouillantez rapidement la pêche et coupez-la en deux, retirez le noyau, taillez la pulpe en petits dés, ajoutez-les dans le saladier.

Lavez les cerises, essuyez-les et dénoyautez-les. Lavez et équeutez les fraises, ajoutez-les également dans le saladier et mélangez délicatement tous les fruits avec le jus de citron. Mettez le saladier au frais en attente.

Versez le fromage blanc bien froid dans un autre saladier. Par ailleurs, battez les blancs d'œufs en neige très ferme avec une pincée de sel, puis incorporez-les au fromage blanc et ajoutez le sucre.

Ajoutez la macédoine de fruits, mélangez délicatement et servez aussitôt.

Pommes au vin blanc et à la lavande

POUR 4 PERSONNES
PRÉPARATION : 30 MINUTES
CUISSON : 25 MINUTES
REPOS : 2 HEURES

* ❈ 5 pommes golden ou starkinson
* ❈ 25 cl de vin blanc
* ❈ 3 cuillerées à soupe de fleurs de lavande
* ❈ 1 citron
* ❈ 150 g de sucre en poudre
* ❈ 2 cuillerées à soupe rases de fécule
* ❈ 1 petit verre d'alcool de framboise

☙ Pelez les pommes, coupez-les en deux, retirez le cœur et les pépins, puis coupez-les en lamelles. Versez celles-ci dans une casserole, arrosez avec le jus de citron sans les pépins, puis versez le vin blanc. Complétez avec 25 cl d'eau. Vous pouvez aussi ajouter le zeste du citron râpé ou taillé en très fines lamelles.

☙ Mélangez et faites chauffer, puis portez à la limite de l'ébullition. Laissez cuire doucement jusqu'à ce que les lamelles de pommes soient bien tendres, mais sans qu'elles se réduisent en purée (de 15 à 20 minutes). Égouttez-les dans un saladier. Ajoutez dans le jus de cuisson le sucre en poudre et mélangez pour bien le faire dissoudre, puis portez de nouveau à ébullition ; incorporez la fécule et baissez le feu, mélangez régulièrement pour lier sur feu doux.

☙ Remettez les lamelles de pommes dans la casserole et remuez doucement pour bien les enrober. Retirez la casserole du feu et laissez refroidir, puis couvrez et mettez au réfrigérateur pendant 2 heures.

❧ Triez les fleurs de lavande, rincez-les rapidement et épongez-les, puis faites-les macérer pendant 20 minutes dans une tasse avec l'alcool de framboise. Égouttez-les.

❧ Versez la gelée de pommes dans une coupe de service en verre, arrosez avec l'alcool de macération, puis répartissez les fleurs de lavande sur le dessus.

❧ Servez très frais.

❧ ❧
❧

Papillotes de poires à la cannelle

POUR 4 PERSONNES
PRÉPARATION : 20 MINUTES
CUISSON : 10 MINUTES

* ❋ *4 belles poires williams de 200 g chacune environ*
* ❋ *1 citron*
* ❋ *1 orange*
* ❋ *1 cuillerée à soupe de sucre en poudre*
* ❋ *1 cuillerée à soupe de gelée de groseilles*
* ❋ *1 cuillerée à café de cannelle en poudre*

Pelez les poires en conservant la queue, arrosez-les de jus de citron et poudrez-les de cannelle. Posez-les chacune sur un carré de papier aluminium et remontez les côtés en formant une aumônière. Ne les fermez pas.

Prélevez le zeste de l'orange en une ou plusieurs languettes, ébouillantez-les, puis égouttez-les et taillez-les en fines lanières.

Ajoutez-les sur les poires en les répartissant régulièrement. Poudrez de sucre et ajoutez la gelée de groseilles. Refermez hermétiquement les papillotes et faites-les cuire dans le four préchauffé à 200 °C pendant une dizaine de minutes.

Servez chaud.

Crème à la banane

POUR 4 PERSONNES

PRÉPARATION : 25 MINUTES

REPOS : 1 HEURE

* 4 grosses bananes mûres
* 2 citrons
* 2 kiwis
* 16 framboises
* 4 cuillerées à soupe de miel d'acacia
* 3 yaourts nature
* 1/2 cuillerée à café de cannelle en poudre

Pelez les bananes et coupez-les en rondelles dans une terrine. Écrasez la pulpe à la fourchette en ajoutant le jus des citrons pressés. Incorporez également le miel, toujours en travaillant le mélange à la fourchette.

Fouettez vivement à part les yaourts avec la cannelle, puis mélangez les deux préparations en brassant énergiquement.

Répartissez le mélange dans quatre coupes de service, couvrez de film étirable et mettez-les au réfrigérateur. Pelez les kiwis et coupez-les en lamelles régulières.

Sortez les coupes, décorez le dessus avec les lamelles de kiwis et les framboises. Servez.

Entremet au riz et aux fruits confits

POUR 4 PERSONNES

PRÉPARATION : 25 MINUTES

CUISSON : 35 MINUTES

❊ *200 g de riz à grains ronds*

❊ *2 cuillerées à soupe de raisins secs*

❊ *1 cuillerée à soupe d'angélique confite taillée en petits dés*

❊ *1 cuillerée à soupe de zeste d'orange confit taillé en petits dés*

❊ *80 cl de lait écrémé*

❊ *50 g de sucre en poudre roux*

❊ *1 gousse de vanille*

❊ *1 cuillerée à soupe de cannelle en poudre*

❊ *2 cuillerées à soupe de miel liquide*

❊ *1 petit verre de porto*

❧ Versez les raisins secs dans une tasse, couvrez d'eau tiède et laissez-les gonfler.

❧ Lavez le riz et versez-le dans une casserole d'eau bouillante, portez à ébullition, puis laissez cuire 2 minutes à gros bouillons. Égouttez le riz, jetez l'eau, remettez-le dans la casserole et ajoutez le lait ainsi que la gousse de vanille fendue en deux, le sucre roux et la cannelle. Mélangez et portez lentement à la limite de l'ébullition ; laissez ensuite cuire tout doucement à couvert pendant 30 minutes. Retirez la gousse de vanille lorsque le riz est cuit.

❧ Versez celui-ci dans une coupe de service, ajoutez le miel et les raisins secs, mélangez délicatement, puis décorez avec l'angélique et le zeste d'orange confit.

❧ Arrosez de porto et servez à température ambiante.

Glace au yaourt

POUR 4 PERSONNES

PRÉPARATION : 15 MINUTES

PRISE AU FROID : 2 HEURES

* ❉ *5 yaourts nature, de préférence au lait entier*
* ❉ *1 sachet de sucre vanillé*
* ❉ *1 citron non traité*
* ❉ *1 orange non traitée*
* ❉ *1 cuillerée à soupe d'édulcorant en poudre*

☙Videz les pots de yaourt dans un saladier. Ajoutez le sucre vanillé et battez le mélange avec un fouet pendant 2 minutes.

☙Lavez et essuyez le citron et l'orange, râpez très finement le zeste de ces deux fruits. Pressez-les ensuite avec un presse-agrumes, éliminez les pépins et mélangez leurs deux jus.

☙Ajoutez aux yaourts les zestes des agrumes et 3 cuillerées à soupe de jus, puis l'édulcorant en poudre (vous pouvez en ajouter selon votre goût). Fouettez vivement pendant 5 minutes.

☙ Versez la préparation dans une sorbetière et faites prendre en glace en suivant le mode d'emploi de l'appareil, ou bien versez-la dans un récipient en plastique, couvrez et mettez-le dans le congélateur. Remuez à intervalles réguliers jusqu'à ce que la préparation soit bien prise en glace (deux heures environ).

☙Prélevez des quenelles de cette glace à l'aide d'une grosse cuiller à soupe et servez avec un coulis de fruits.

Vdouté glacé à la mangue
POUR 4 PERSONNES
PRÉPARATION : 15 MINUTES ENVIRON
REPOS AU FROID : 3 HEURES

* 1 grosse mangue mûre
* 25 cl de jus de mangue
* 4 feuilles de gélatine
* 6 cuillerées à soupe de fromage blanc lisse
  à 0 % de matière grasse
* 4 cuillerées à café de sucre semoule
* 8 belles fraises mûres
* quelques feuilles de menthe fraîche

☞ Versez le jus de mangue dans une casserole et faites-le chauffer doucement. Mettez par ailleurs les feuilles de gélatine dans un grand bol d'eau juste tiède et laissez-les tremper pendant 5 minutes. Égouttez la gélatine et pressez-la délicatement pour éliminer l'eau, puis ajoutez-la au jus de mangue et fouettez vivement pour bien la faire dissoudre. Retirez du feu et laissez refroidir.

☞ Par ailleurs, fouettez le fromage blanc dans un saladier en lui ajoutant le sucre. Lorsque le jus de mangue à la gélatine est froid, incorporez-le au fromage blanc et mélangez intimement. Versez cette préparation dans un moule à manqué à revêtement antiadhésif, couvrez de film étirable et mettez-le pendant 3 heures au réfrigérateur.

☞ Pelez la mangue et retirez le noyau, taillez ensuite la chair en minces lamelles. Équeutez les fraises, lavez-les rapidement si nécessaire, puis coupez-les en deux et réservez-les au frais.

☞ Démoulez le velouté de mangue sur un plat rond, entourez-le de lamelles de mangue en rosace et décorez avec les demi-fraises et les feuilles de menthe.

Mousse glacée au café

POUR 4 PERSONNES

PRÉPARATION : 10 MINUTES

PRISE AU FROID : 12 HEURES ENVIRON

* ❉ *3 cuillerées à soupe bombées de café soluble arabica*
* ❉ *50 cl de lait écrémé*
* ❉ *120 g de sucre roux en poudre*
* ❉ *2 blancs d'œufs*
* ❉ *1 cuillerée à soupe de rhum*
* ❉ *1 cuillerée à café de sucre glace*

☾Versez le lait dans une casserole, ajoutez le sucre roux et mélangez ; faites chauffer doucement en remuant pour faire dissoudre le sucre. Ajoutez le café soluble et continuez à faire chauffer en remuant sans laisser bouillir. Lorsque le sucre et le café sont parfaitement dissous, ajoutez le rhum, mélangez et retirez du feu. Laissez refroidir complètement.

☾Versez cette préparation dans une boîte en plastique spéciale pour la congélation et mettez-la dans le congélateur pendant 10 à 12 heures.

☾Fouettez les blancs d'œufs en neige très ferme avec le sucre glace. Versez la préparation congelée dans une terrine et pilez-la avec une spatule en bois, puis incorporez les blancs en neige. Mélangez rapidement avec un mixer, puis remettez à glacer pendant 1 heure.

Pain au miel et aux fruits secs

POUR 6 PERSONNES

PRÉPARATION : 20 MINUTES

CUISSON : 1 HEURE

REPOS : 24 HEURES

* *300 g de farine*
* *200 g de miel de bruyère ou de lavande*
* *100 g de fruits secs hachés (noix, amandes, noisettes)*
* *80 g de sucre semoule*
* *10 cl de lait*
* *2 jaunes d'œufs*
* *2 cuillerées à soupe de jus de citron*
* *1 cuillerée à soupe de bicarbonate de soude*
* *1 cuillerée à café de cannelle*
* *20 g de beurre*
* *sel fin*

☾ Versez le lait, le miel et le sucre dans une casserole. Faites chauffer sur feu doux en remuant avec une cuiller en bois. Par ailleurs, battez les jaunes d'œufs dans un grand bol, puis versez en remuant la moitié du lait au miel. Mélangez enfin le reste de lait au miel avec le bicarbonate de soude.

☾ Tamisez la farine dans une terrine. Ajoutez petit à petit, en alternant, les deux préparations précédentes, puis incorporez le jus de citron, les fruits secs et enfin la cannelle. Travaillez vigoureusement cette pâte pendant une dizaine de minutes.

☾ Beurrez un moule à cake et tapissez-le de papier sulfurisé. Versez la pâte dedans et faites cuire dans le four à mi-hauteur pendant une heure à 180 °C.

☙ Sortez le moule du four, laissez tiédir, démoulez sur une grille et laissez refroidir. Enveloppez le pain dans du papier aluminium et attendez 24 heures avant de consommer.

☙ Détaillez-le en fines tranches pour accompagner une glace à la vanille ou à la cannelle.

☙☙
☙

Pastèque à la provençale

POUR 6 PERSONNES

PRÉPARATION : 20 MINUTES

REPOS : 2 HEURES

* 1 pastèque bien mûre
* 1 bouteille de rosé de Provence
* 6 figues violettes
* 12 gros grains de raisin muscat noir

Faites une incision circulaire assez large autour de la queue de la pastèque. Décalottez-la. Retirez le maximum de graines avec les filaments qui les entourent. Évidez légèrement la pulpe. Remplissez la pastèque de vin et posez la calotte en couvercle. Mettez la pastèque dans le réfrigérateur pendant au moins 2 heures en la calant dans un grand saladier.

Ôtez la calotte, passez le vin et réservez-le au frais ; détaillez toute la chair en dés réguliers. Répartissez-les dans des coupes de service.

Ajoutez les figues, lavées et essuyées, coupées en quartiers ou en deux si elles sont petites. Ajoutez également les grains de raisin, lavés et essuyés, de préférence épépinés et pelés (avec une aiguille). Arrosez avec le vin bien frais et servez.

Vous pouvez remplacer les figues par des pêches de vigne dénoyautées et les grains de raisin par des framboises.

Pêches rubis sur canapé

POUR 6 PERSONNES

PRÉPARATION : 20 MINUTES

CUISSON : 15 MINUTES

* 6 grosses pêches jaunes
* 200 g de sucre semoule
* 1 gousse de vanille
* 25 g de beurre
* 12 tranches de pain de mie rondes
* 4 cuillerées à soupe de gelée de groseilles
* 150 g de groseilles ou de framboises fraîches

Coupez les pêches en deux et pelez-les, puis retirez le noyau. Versez le sucre dans une grande casserole, ajoutez 50 cl d'eau et la gousse de vanille fendue en deux. Mélangez pour faire dissoudre et faites bouillir pendant 4 à 5 minutes. Plongez les demi-pêches dedans et faites-les pocher doucement pendant une dizaine de minutes. Égouttez les fruits en gardant un peu du sirop de cuisson et épongez-les délicatement, puis laissez-les refroidir.

Pendant ce temps, faites chauffer le beurre dans une grande poêle à revêtement antiadhésif sans le laisser roussir. Posez les tranches de pain de mie dedans et faites-les dorer des deux côtés pendant quelques minutes, puis égouttez-les sur du papier absorbant.

Faites chauffer la gelée de groseilles dans une petite casserole en la diluant avec un peu du sirop de cuisson des pêches.

Disposez les croûtes de pain sur un plat ou des assiettes individuelles, posez une demi-pêche sur chacune d'elles et nappez de sauce groseille, puis ajoutez en garniture les groseilles ou les framboises fraîches.

Neige à la vanille

POUR 4 PERSONNES

PRÉPARATION : 10 MINUTES

CUISSON : 5 MINUTES

REPOS AU FRAIS : 1 HEURE

* *50 cl de lait écrémé*
* *1 gousse de vanille*
* *4 blancs d'œufs (de 70 g)*
* *40 g de sucre semoule*
* *1 sachet de sucre vanillé*
* *sel fin*

✆ Versez le lait dans une casserole. Ajoutez la gousse de vanille fendue en deux en ôtant les petites graines noires qui se trouvent à l'intérieur. Faites chauffer jusqu'à la limite de l'ébullition. Retirez du feu, couvrez et laissez tiédir.

✆ Fouettez les blancs en neige très ferme avec une pincée de sel.

✆ Retirez la gousse de vanille du lait. Ajoutez dans le lait le sucre semoule et le sucre vanillé. Remuez avec une cuiller en bois pour faire dissoudre, puis versez ce lait sucré sur les blancs d'œufs en neige et mélangez.

✆ Remettez la préparation sur le feu et remuez sans arrêt avec une spatule jusqu'à ce que la crème prenne une consistance onctueuse. Retirez du feu et laissez refroidir.

✆ Versez dans une coupe de service, couvrez et mettez dans le réfrigérateur pendant une heure avant de servir avec des meringues ou des macarons aux amandes.

Gratins de pommes aux fruits secs

POUR 4 PERSONNES

PRÉPARATION : 15 MINUTES

CUISSON : 10 MINUTES

* *3 grosses pommes boskoop*
* *50 g de raisins secs*
* *1 cuillerée à soupe de pistaches mondées*
* *4 figues séchées*
* *1 petit verre de rhum*
* *1 citron*
* *4 cuillerées à soupe de chapelure brune*
* *2 cuillerées à soupe de poudre d'amandes*
* *1/2 cuillerée à café de cannelle en poudre*
* *huile d'amandes douces*

Mettez les raisins secs dans un grand bol. Coupez la queue dure des figues et hachez ces fruits grossièrement, ajoutez-les dans le bol avec le rhum. Mélangez et laissez macérer.

Pelez les pommes et râpez-les grossièrement dans une terrine en les arrosant de jus de citron au fur et à mesure. Incorporez les pistaches concassées, puis ajoutez les fruits secs égouttés et la chapelure (que vous pouvez remplacer par la même quantité de biscottes réduites en poudre).

Huilez légèrement quatre petits plats à four en porcelaine à feu (tels que des plats à crème brûlée). Répartissez-y la préparation. Mélangez la cannelle et la poudre d'amandes, poudrez le dessus des plats avec ce mélange.

Faites gratiner dans le four pendant 10 minutes à 200 °C. Servez les gratins tièdes ou refroidis.

Crème de myrtilles à l'ananas

POUR 4 PERSONNES

PRÉPARATION : 20 MINUTES

CUISSON : 3 MINUTES

REPOS : 2 HEURES

* 500 g de myrtilles
* 4 tranches d'ananas au sirop
* 4 feuilles de gélatine
* 150 g de fromage blanc à 0 % de matière grasse
* 2 cuillerées à café de sucre en poudre ou d'édulcorant

Mettez les myrtilles dans une casserole et faites chauffer sur feu doux en remuant de temps en temps.

Pendant ce temps, faites ramollir les feuilles de gélatine dans un bol d'eau froide durant 5 minutes. Égouttez-les et ajoutez-les aux myrtilles hors du feu. Mélangez intimement en remuant avec une cuiller en bois. Versez le tout dans une terrine froide.

Fouettez le fromage blanc et incorporez-le au mélange précédent en ajoutant également le sucre.

Égouttez les tranches d'ananas et disposez-les dans le fond de quatre grands ramequins. Versez par-dessus le mélange aux myrtilles et lissez le dessus avec le dos d'une cuiller à soupe.

Mettez les ramequins pendant 2 heures dans le réfrigérateur avant de les servir.

Vous pouvez utiliser pour cette recette des myrtilles surgelées et décongelées ou des myrtilles fraîches, triées, lavées et épongées.

Index alphabétique des recettes

Table des matières

Achevé d'imprimer sur les presses de

BUSSIÈRE

GROUPE CPI

à Saint-Amand-Montrond (Cher)
pour le compte des Éditions Grancher
en février 2007

N° d'impression : 070644/1.
Dépôt légal : février 2007.

Imprimé en France